瓊瑤◉著

還珠格格

三之二

水深火熱

11

小燕子在床上是躺不住的，没有幾天，就下了床。書房也暫時不去了，規矩也不學了，她整天在漱芳齋裡轉來轉去。因爲傷還没好，是名副其實的『坐立不安』。何況，她心煩意亂，想的是紫薇，念的是紫薇。腦子没有片刻休息，看著窗外的天空，心裡癢癢的，真恨不得自己變成一隻真正的小燕子，飛呀飛的，就可以飛出那綠瓦紅牆。

這天，永琪和爾泰結伴而來。

『身上的傷好了没有？還痛不痛？我上次送來的那個「九毒化瘀膏」，對外傷有很神奇的效果，是傅六叔從苗疆帶回來的靈藥！用九種毒蟲子製造的，可以以毒攻毒，靈得不得了！妳用了沒用？』永琪仔細的看小燕子，見她行動不便，臉色也依然蒼白，就關切的問。

『用了用了！』小燕子含含糊糊的點點頭。

爾泰看小燕子心不在焉，忍不住大聲說：

『那個藥很名貴，很稀奇的耶！上次大阿哥問五阿哥要，五阿哥都捨不得給，妳不要把它隨隨便便扔了！』

『我怎麼會把它扔了呢？用了就是用了嘛！』

永琪打量小燕子，著急起來：

『我看妳就是沒用！要不然，怎麼走路這麼不靈活？真拿妳沒辦法，傷在妳身上，咱們又不能幫妳上藥！如果妳是男孩子，我早已把妳按下來上藥了！』

永琪這句話一出口，小燕子想到『按下來上藥』的情景，蒼白的臉頰竟漾出一片紅暈。

永琪見十分男兒氣概的小燕子，忽然顯出女性的嬌羞，心裡不禁一陣激盪。想到自己那句話說得未免太造次了，臉上也是一紅。

爾泰看著二人的神情，心裡震動了，若有所覺。同時，一股微妙的醋意，就從心底升起。受不了他們兩個眉來眼去，他大聲喊：

『好了好了！』他看永琪：『你不是信差嗎？信呢？』

永琪忙從懷裡掏出一封信來。

『什麼信？』小燕子又好奇，又驚訝，興奮起來：『誰給我的信？是不是紫薇，趕快給我看！』

『紫薇說，妳看完以後，一定要燒掉，不能留下來……』永琪說，忙著去關門關窗，察看小鄧子、小卓子等人有沒有把好風。

小燕子迫不及待，伸手一把搶過信，三下兩下的撕開信封，抽出信箋，一看，只見也是幾幅畫。

第一幅畫著一隻小鳥被關在籠子裡，一朵花兒在籠外關心的觀看。

第二幅畫著一隻小鳥在挨打，一朵花兒在流淚。

第三幅畫著小鳥飛出籠子，拉著小花在跳舞。

第四幅畫著小鳥兒戴著格格頭飾，小花笑嘻嘻的，隱入雲層，飄然而去。

小燕子看完了信，臉上頓時急得一陣紅，一陣白，激動的大叫起來：

『不行不行！紫薇不可以這樣待我！我就說嘛，她根本不瞭解狀況……我要怎麼樣才能讓她明白呢？她還在生我的氣，你們都騙我，說她原諒我了，她根本沒有原諒我！她罵我！還要我永遠當格格，怎麼可能？我會慫死的！不行不行……』小燕子一面叫著，就一屁股在椅子上坐下，這一坐，碰痛傷口，立刻跳起身子，大叫：『哎喲！哎喲！』

永琪爾泰，一邊一個，趕快攙扶住她，同時急聲喊：

『妳慢一點呀，身上有傷，自己不知道嗎？坐，也得輕輕坐下去呀！』永琪喊。

『那個紅木椅子硬得不得了，妳要坐，也得墊個墊子呀！』爾泰喊。

小燕子又咬牙，又跺腳，把兩人甩開：

『不要你們兩個來管我怎麼坐！』

『好好好！咱們不管，妳就站著吧！』爾泰關心的伸過頭去：『妳爲什麼這樣激動？信裡寫什麼？妳到底看懂沒有？』

『怎麼不懂？她寫得清清楚楚！我講給你們聽！』小燕子拿著信，就氣極敗壞的說：『她說：「小燕子，妳這個騙子，妳這個混蛋！現在自作自受了吧！被關在籠子裡，飛也飛不出來，動也動不了，還被打得亂七八糟！妳害我傷心，現在老天爺幫我懲罰妳，這都是妳的報應！妳想出宮來，再跟我一起笑，一起玩，那是做夢，門兒都沒有！妳要當格格，我就讓妳當一輩子，我不理妳了！我走了！再見！」』

永琪和爾泰，雙雙抽了一口冷氣。

『怎麼妳的解釋，跟紫薇說的，完全不一樣？妳字不認得，看畫總看得懂呀！誰說她是這個意思？』永琪問。

『妳誤會了，紫薇才不會寫這些！』爾泰跟著說。

小燕子把畫攤在他們面前，指著說：

『你們看！你們看！她就是罵我嘛！』

永琪把畫看了一遍，嘆了口氣：

『我重新幫妳翻譯一下！她說：「小燕子，我知道妳現在好痛苦，關在皇宮裡，像坐監牢一樣！我好關心，就是沒辦法進來陪妳！聽說妳挨了打，我急得一直掉眼淚。小燕子，妳一定要忍耐，千萬不要再闖禍！我相信，很快我們兩個就會見面的！見了面，妳就會知道，我還是和以前一樣喜歡妳！至於『格格』，妳已經當了，就只好繼續當下去，高高興興的當下去！我不論走到那裡，都會笑著祝福妳！」』

小燕子聽得發呆了，瞪著眼睛看著永琪。

『她是這個意思嗎?真的嗎?』

『一點也不錯，就是這個意思!』

小燕子拿起那些畫，顛來倒去的看，又翻來覆去的看。

『我看不像!她還是氣我，還是罵我!』她不信的說。

『妳怎麼變得這麼悲觀?妳仔細看看嘛!』永琪生氣的喊。

『被皇阿瑪打了一頓，我對什麼都沒有信心了!』

小燕子拿著畫，滿屋子走來走去，忽然停在永琪和爾泰面前，噗通跪落地。拚命磕頭，喊著說：

『讓我出去見紫薇一面!你們想辦法讓我出去!我給你們兩個磕頭!』

永琪和爾泰慌忙去拉她。

『妳幹什麼嘛?妳是格格，這樣跪在我們面前，給皇上看見了，妳又要挨打了!怎麼都打不怕呢?』爾泰喊。

永琪看著這樣的小燕子，驀然之間，下了決心，攙著小燕子，認真的說：

『好了好了!我豁出去了!管他了!我答應妳，妳不要再急得五心煩躁了!我帶妳出宮去！』

小燕子大喜，眼睛發亮，臉頰發光。整個人頓時精神起來。喘了口氣，她一疊連聲的，急如星火的叫了起來：

『什麼時候？今晚！好不好？要不然，你們商量來商量去，又不知道會拖到那一天？等會兒福大人和福晉不同意，又走不成！咱們乾脆不告訴他們，說去就去！揀日不如撞日，就是今晚！好不好？』

永琪一點頭，決定了。

『一不作二不休！就是今晚！讓明月裝成妳，躺在床上裝睡，無論誰來，都說剛吃了藥睡著了！妳化裝成小太監，跟我大大方方的出去！我讓小順子守在皇宮的邊門，幫我們開門。不過，我們溜出去，頂多一個時辰，就得溜回來！知道嗎？』

爾泰見兩人認真的樣子，急壞了，跳腳喊：

『你們瘋了嗎？如果被發現了怎麼辦？五阿哥，你也想挨一頓板子嗎？』

小燕子已經興奮得不得了，氣都喘不過來了：

『爾泰！你有一點冒險精神好不好？了不起是腦袋一顆，小命一條嘛！』

永琪重重的點頭，豪氣的接口：

『對！了不起是腦袋一顆，小命一條！』

爾泰又是嘆氣，又是跌腳：

『完了！你們兩個都失去理智了！這小燕子會發瘋，五阿哥，你怎麼也跟著瘋？小燕子剛剛挨過一頓打，你們居然没有一個人會害怕！我跟你們說……』瞪大眼睛看兩人：『我只好……我只好……』

小燕子對爾泰一吼：

『你只好怎樣？』

爾泰一跺腳，昂頭挺胸，一副『我不入地獄誰入地獄』的樣子，大聲應道：

『我只好「捨命陪君子」！跟你們一起發瘋了！還不趕快把小鄧子、小卓子、明月、彩霞、小順子、小桂子通通叫進來，共商大計！希望他們幾個靠得住！』

小燕子喜出望外，樂不可支。大叫：

『啊哈！所謂「生死之交」，就是咱們三個了！』

小燕子歡呼著，樂得忘形一跳，砰然一聲，坐在桌上。立即，痛得滾下地來。

『哎喲！』

永琪和爾泰面面相覷。又是心痛，又是好笑，又是擔憂，又是緊張。

於是，這天晚上，小燕子又打扮成了一個小太監。穿著太監的衣裳，戴了一頂小帽子，帽簷拉得低低的，衣領拉得高高的，一副畏畏縮縮的樣子，坐在永琪那輛豪華的馬車上。永琪和爾泰坐在車裡，她和小順子、小桂子坐在駕駛座上，兩個太監一邊一個半遮著她，爲她護航。馬車踢踢踏踏來到宮門口。小燕子大氣都不敢出，像個小雕像。

侍衛看到是五阿哥和爾泰，幾乎連看都沒看，問都沒問，一切順利得不得了。馬車出了宮門，瀟瀟灑灑往前走去。

小燕子看到宮門終於被遠遠的拋在後面了。就發出『啊哈』一聲大喊，也不管馬車正在進行當中，她從座位上一躍而起，幾乎跳了三尺高，嘴裡放聲大叫：

『出來了！出來了！我終於出來了！老天啊！紫薇啊！我出來了！』不禁仰天大笑：『哈哈！哈哈！我出來了！我又是小燕子了……哈哈……』

車子直接到了福府。

別提福家有多麼震動，多麼慌亂了。福倫不敢罵五阿哥和小燕子，只能瞪著爾泰，氣極敗壞的說：

『爾泰，你們真是膽大包天，怎麼也不跟我們說一聲？這麼突如其來，讓我們措手不及！如果有個閃失，怎麼辦？』

爾泰嘆口氣。

『唉！沒辦法，五阿哥和還珠格格有命，我只能聽命！』

福晉瞪著小燕子，嚇得臉色發白，一疊連聲問：

『宮裡有沒有安排好？萬一萬歲爺發現了怎麼辦？』

小燕子急急的說：

『你們不要擔心，也不要怪爾泰！宮裡都安排好了，現在明月躺在我床上……我是假格格，她是假格格的假格格……』

小燕子話說到一半，房門一開，紫薇和金瑣得到消息，兩個人跌跌撞撞的衝進房來。後面跟著爾康。

小燕子一看到紫薇，整個人就像被釘子釘住，站在那兒，動也不能動。

紫薇看到小燕子，腳下一軟，差點跌倒。金瑣緊緊的扶著她，她的眼光直勾勾的落在小燕子臉上，竟也傻住了，站在那兒，也是動也不動。

爾康把房門闔上，緊張的看著二人。

剎時間，房間裡鴉雀無聲，只有大家沈重的呼吸聲，每個人的眼光，都集中在小燕子和紫薇身上。

半晌，紫薇啞啞的開了口：

『小燕子，身上的傷，好了沒有？這樣出來，安全嗎？行嗎？』

紫薇這樣一問，小燕子『哇』的一聲，痛哭失聲。接著，就一下子撲倒在紫薇面前，雙膝落地，雙手抱住了紫薇的腿。嘴裡痛喊著：

『紫薇，妳罵我吧！妳打我吧！妳踢我，踹我，搥我，砍我，殺我……什麼都可以，就是別對我好，妳再對我好，我真想一頭撞死！』

紫薇眼中，立刻充淚了，她伸手攙著小燕子的手，哽咽難言。金瑣拿著手絹，自己也哭得唏哩嘩啦，不知道要先給誰擦淚才好。

大家全體看呆了，各有各的心痛。

紫薇吸了吸鼻子，噙著淚，柔聲說：

『我現在都明白了！闖圍場那天，妳受了傷，妳也沒有辦法，身不由主嘛！總之，這是陰錯陽差，命中注定的安排，我已經認了，也不生氣了，不介意了，妳也不要再怪自己了！』

小燕子急切的，拚命搖頭，哭著喊：

『妳不懂，不完全是這樣的！其實，我有好多機會可以說明白，我就是沒有說！起先，是膽子小，怕他們砍我的頭，皇阿瑪錯認了，我也不敢說明……可是，後來……皇阿瑪對我那麼好，他親手餵我吃藥，餵我喝水，我從來沒有這樣被人寵過，他又是皇上！大家見著他，都磕頭下跪，可他卻把我捧在手心裡，那樣疼著……我就發暈了，犯糊塗了！』她仰頭看著紫薇：『紫薇，我該死！我真的該死！我搶了妳的爹，佔據了妳的位子！』

紫薇聽到小燕子敘述被乾隆寵愛的情形，心中一痛，淚，就滑下面頰。顫聲問：

「他親手餵妳吃藥？』

『是啊！還那樣低聲下氣的跟我說話，令妃娘娘拚命要我喊皇阿瑪，一屋子的人跪在我面前喊「格格千歲千千歲！」我就是壞嘛！我就是貪心嘛！我可以說明白的，我就是說不出口！當時，我想，我先當幾天「格格」再還給妳，過過有爹的癮，過過「格格」的癮！只要幾天就好了！誰知道，一天天過去，事情越鬧越多，我就越陷越深了！』

紫薇噙著淚，心痛已極的，沈浸在一個思想裡，對小燕子其他的告白，都沒怎麼聽進去，只是重複的說著：

『他親手餵妳吃藥？他親手餵妳吃藥？』

小燕子呆了呆，看著紫薇，見紫薇神情恍惚，淚不可止，更加强烈的自責起來。

『對不起！紫薇，對不起！我現在跪在妳面前，隨妳怎麼罰我，怎麼罵我！我跟妳發誓，我絕對不是要霸佔妳的爹，不是要永遠當格格……』

『他真的親手餵妳吃藥？』紫薇低頭看小燕子，再問。

『是的！』

紫薇眼睛一閉，長長一嘆：

『他如果親手餵我吃藥，我死也甘願！』

爾康看到紫薇這麼難過，再也按捺不住，一步上前，對紫薇心痛的說：

『紫薇，妳要明白，當時小燕子病得糊裡糊塗，皇上眼中的小燕子，是他流落在民間的女兒，所以對她充滿了心痛和憐惜。他雖然餵的是小燕子，其實，等於是妳啊！如果沒有那一把摺扇，那一張畫，小燕子已經被當成刺客給處決了！那兒還能得到皇上絲毫的憐惜呢？』

紫薇一震，抬眼看爾康，醒過來了。精神一振，如夢初醒的說：

『是啊！我在計較什麼呢？不管他餵的是誰，我都可以確定一點，皇上，他有一顆慈愛的心！他沒有賴帳，他認了我娘，認了女兒了！』說著，她就伸手拉著小燕子，熱情的說：『小燕子，在皇上面前，妳就是我！妳代我得到他的寵愛，代我擁有這個阿瑪，我感同身受！我們是結拜姐妹，當初，我發過誓，我說過，我們是患難扶持，歡樂與共的！我還說過，不論未來彼此的命運如何，遭遇如何，永遠不離不棄！這些話，妳不一定都瞭解，但是，它是一種真摯的誓言，很美很美的！那個誓言不是假的，那個結拜不是假的！妳是我的姐姐，妳姓了我的姓，那麼，我還跟妳計較什麼呢？我的爹，就是妳的爹了！他疼愛妳，就等於他疼愛我了！』

小燕子睜大眼睛，痴痴的看著紫薇，專心的傾聽，聽到最後，再也忍不住，伸手把紫薇緊緊一抱。激動的大喊：

『紫薇！紫薇！我怎麼能冒充妳呢？我充其量只是閻王面前的小鬼，妳才是玉皇大帝身邊的仙女啊！妳放心！妳爹永遠是妳爹，我會還給妳！我一定要還給妳！』

紫薇便含淚一笑，伸手拉起小燕子，說：

『現在，只有半個時辰，妳就得回宮了，時間真的好寶貴呀！妳難道不想到我房裡去，跟我說一點「悄悄話」嗎？』

小燕子眼睛發光了，抬眼看著大家：

『我可以嗎？』

福倫早已被這兩個『格格』，感動得鼻中酸楚，立刻一疊連聲的說：

『可以，可以，當然可以！不過……』

爾康機警的接口：

『我知道，我會去安排，讓人守著門！』

兩個女孩便看了大家一眼，手拉手的奔出門去。金瑣跟著，也急急的去了。

別提三個女孩，再度聚在一起，是多麼激動，多麼恍如隔世了。

房門才剛剛關上，小燕子就急急的從懷裡掏出幾串項鍊來，塞進紫薇手裡。再掏出幾個銀錠子，放在桌上，再掏出一些耳環首飾，往桌上堆去。

『我本來想再多拿一些東西出來，可是，我身上揣不下！這些給妳，本來就應該是妳的東西，皇阿瑪一下賜這個，一下賜那個，可是，我在宮裡出不來，這些東西用都用不著！妳趕快拿去！』又從口袋裡翻出一個首飾來，看著金瑣說：『我這裡還有個好稀奇的東西，是個金鑲玉的金瑣，當時，我看了就說，這是金瑣的名字嘛！我就幫妳留下了！』她追著金瑣，塞進金瑣手裡：『妳看看！妳看看，是不是很稀奇？』

金瑣忙著把床上的一床被子，摺疊著搬到一張椅子上去墊著，躲著小燕子。

『我不要，妳給小姐好了！』金瑣面無表情的說，對小燕子，她有一肚子的氣。

紫薇把手裡的珠珠串串放下，喊：

『金瑣！不要這樣，好不容易才見到小燕子，再要見面又不知道是何年何月，妳還有時間在這兒鬧脾氣！』

金瑣袖子一抹，拭去了滾出的淚珠，對小燕子福了一福，接過鎖片。

『謝「還珠格格」賞賜！』

小燕子一呆，受不了了，抓著金瑣喊：

『金瑣，妳要我怎樣做，妳才會原諒我呢？』

『我原不原諒妳，有什麼關係呢？我不過是個丫頭，只要小姐原諒了妳，我就什麼話都沒有！小姐很多話都不會說，可是，這些日子以來，掉的眼淚比她一生掉的都多！她沒有認到爹，她不心痛，我總可以代她心痛吧！』金瑣氣呼呼的。

『我知道錯了，錯了嘛！可我現在怎麼辦嘛？』小燕子臉色悽楚，痛苦的喊。

金瑣已經把椅子墊好了，就把小燕子拉到椅子前面去。

『椅子墊了這麼厚的棉被，應該可以坐了！待會兒，妳把衣服褪了，房裡只有我們，不必害臊，讓我幫妳看看，到底傷成怎樣？我這兒還有柳青給我的半盒「跌打損傷膏」，我給妳擦一擦！好歹有些用！』

小燕子眨巴眼睛，眼淚一掉，把金瑣一抱，痛喊出聲：

『金瑣！妳嘴裡罵我，妳心裡還是對我這麼好！』

金瑣眼淚落下，和小燕子相擁片刻，金瑣便推開小燕子，說：

『我知道小姐有一肚子的話要跟妳說，我不打擾妳們，我去給妳們兩個沏一壺熱茶來！』便匆匆的去沏茶了。

紫薇過來，把小燕子按進椅子裡，盯著她的眼睛，急促的說：

『小燕子，妳好好的聽我說，我們的時間不多，妳一定要仔細聽我！並且照我吩咐的去做，算是妳欠我的！』

『好！我聽妳！』小燕子神色一凜。

『聽著！妳要勇敢，妳要負起責任，已經做了的事情，只有硬著頭皮做到底，妳懂不懂？』紫薇嚴重的問。

『我不懂！我已經後悔得不得了，我也做不好格格，惹得皇阿瑪生氣、皇后生氣、紀師傅生氣，一大堆人跟我生氣……我常想，如果是妳，大家肯定都會喜歡妳，妳什麼都會，我什麼都不會！紫薇，我跟妳說，我是真心真意要把格格還給妳！我現在只想脫身，我最捨不得的，還是皇阿瑪！他雖然打了我，可我不恨他，想到跟他分開，我就會好難過！』

紫薇拚命搖頭：

『妳不會跟他分開，因爲妳已經是格格了，再也別說要把格格位子還給我這種話，事到如今，妳還不起了！現在，皇上已經把妳當成女兒，那麼深刻的愛了妳，如果他知道妳騙了他，他會多麼痛心和失望呢？妳造成了這種局面，就再也不能反悔了！皇上，他是我的爹呀！我聽了妳的敘述，對他真是又崇拜、又喜歡！如果妳覺得妳已經傷害了我，就不要再傷害我爹！如果妳把真相告訴了皇上，讓他傷心，我會恨死妳！我真的會……』她用力的說：『恨死恨死妳！』

小燕子目瞪口呆，睜大眼睛看著紫薇。

紫薇誠摯的，掏自肺腑的繼續說：

『小燕子，不要一錯再錯了！我跟妳發誓，我雖然因爲沒有認到爹而心痛，可是，我現在沒有一點點恨妳！我們還是好姐妹！聽到妳在宮裡的一些事情，我也跟著忽悲忽喜，聽妳跟那些規矩挑戰，我也以妳爲榮！現在，有一大群人的生命，握在妳的手裡，這些人，碰巧也是我最在乎的人！像是福家的每一個人……』她想著爾康，那是她心之所繫、情之所鍾啊！『像是五阿哥！妳不可以傷害他們，如果傷害了，妳就是再害我一次，那麼，妳不如乾脆拿把刀，把我給殺了！』

『妳確定嗎？妳不要我說？那麼，妳就永遠做不成格格，認不了爹了！』小燕子臉色蒼白的盯著紫薇。

紫薇鄭重的點頭：

『我確定！我不要妳說，只要妳努力去做一個好格格！讓我爹高興，讓幫助我們的人，不會因爲我們而遭殃，那，就是我的幸福和快樂了！』

『可是……可是……』

紫薇蹲下身子，把小燕子的雙手緊緊的合在自己手中。

『不要「可是可是」了，我知道，這個「格格」妳當得也很辛苦，很痛苦！但是，爲了我，只好請妳勉爲其難的當下去了！』

『爲了妳？我不懂，我不懂……』

紫薇含淚而笑：

『傻瓜！我們拜過玉皇大帝，拜過閻王老爺，有福同享，有難同當！如果妳掉了腦袋，我也活不成的！但是，妳當了格格，榮華富貴都有了，總有一天，我也會跟著享福的！瞧，妳這不是給我送東西來了嗎？我還可以把這些銀子，送去給大雜院裡的人用，連柳青柳紅，都會沾光的！這樣有什麼不好？爲什麼一定要冒險去丟腦袋呢？』

小燕子凝視著紫薇，眼睛睜得圓圓的，對紫薇真是心服口服，雖然覺得繼續當格格仍有許多難處，卻一句話都說不出來了。

小燕子完全不知道，就在她和紫薇難解難分的時候，漱芳齋已經出了問題。

這晚，小燕子喬裝出門去，漱芳齋裡的幾個宮女太監全都慌了手腳。小鄧子、小卓子兩人像熱鍋上的螞蟻，小鄧子守在門口，目不轉睛的對外看，小卓子滿房間走個不停，雙手闔在胸前，一會兒拜天，一會兒拜地。嘴裡喃喃的說著：

『阿彌陀佛，觀世音救苦救難菩薩，保佑格格早點回來，保佑我們幾個多活兩年……南無阿彌陀佛……大慈大悲觀世音菩薩……』

臥室裡，明月躺在床上，棉被一直蓋到下巴，睜著一對驚慌的大眼，不停的四望著。彩霞魂不守舍的站在床邊，伸著頭直看外面。

『什麼時辰了？怎麼還不回來？』明月爬起身來。

彩霞一把將明月按回床上。緊張兮兮的喊：

『躺著別動！格格再三囑咐，除非她回來，否則妳不能吭聲！妳忘了嗎？躺好！躺好！不要一直爬起來，弄得我好緊張！』

『我躺得渾身冒汗了……哇！到底還要多久呢？格格啊！主子啊……求求妳快點回來啊……』明月咕噥著。

彩霞忍不住，伸頭對外喊：

『小鄧子！小卓子！你們在不在外面？』

小鄧子、小卓子緊緊張張跑進來。

『妳們兩個幹嘛？大呼小叫的，不怕把人引來嗎？我們不在外面，難道在裡面嗎？不要說話！』

『咱們把燈通通吹掉好不好？這樣，有人要來，一看，燈都滅了，肯定都睡了，就不會進來了！』小卓子害怕的說。

明月立刻贊同：

『好好好！把燈都給吹了，黑呼呼的，就沒人看出我是假的了！』

小鄧子在小卓子腦袋上狠敲了一下：

『說你笨嘛！你真笨！平常，這漱芳齋總是維持有個亮，整夜燈都不滅的，你忽然把燈滅了，不是告訴大家，咱們這兒有問題嗎？走走走！我們還是到外面守著！』

小鄧子說著，和小卓子又緊緊張張跑出去。到了大廳，小鄧子站在大廳門口，對外張望。忽然驚呼：

『有好多燈籠過來了……』

小卓子衝到門口去，對著燈籠拜：

『格格！回來就回來吧，悄悄溜回來就好了，幹嘛弄一大堆燈籠啊！』

來人慢慢走近，燈籠照射，如同白晝。小卓子大叫：

『我的天呀！是萬歲爺！』

小鄧子大駭，『崩咚』一聲跪落地，顫抖著大叫：

『皇上駕到！令妃娘娘駕到！』

乾隆這晚，無巧不巧，一時心血來潮，帶著令妃和宮女太監們，來探視小燕子。一走進大廳，就覺得有些怪異。小鄧子、小卓子像掉了魂，跪在地上直發抖。

乾隆四下張望，沒看到小燕子的人影。

『你們的主子呢？』

小鄧子抖得牙齒打顫，臉色慘白：

『啓稟皇上，啓稟娘娘，格格已經睡了……』

令妃驚愕：

『睡了？這麼早，怎麼會睡了呢？是不是又病了？』

乾隆看兩個太監神色不對，心裡一急，就逕自往臥室裡走去：

『朕看看她去！』

明月和彩霞聽到外面的喊聲，早已嚇得魂不附體，這時，聽到乾隆居然進房來了，明月『呼嚕』一聲，就用棉被把自己連頭帶腦蒙住。渾身發抖，抖得整個床『咯吱咯吱』響。

彩霞臉色慘白，噗通一跪，抖得語不成聲：

『皇上……吉……吉祥……娘娘……吉……吉……祥……』

令妃奇怪極了，擔心極了，急問：

『怎麼了？你們一個個臉色慘白，渾身發抖？是不是格格病得很厲害？怎麼不報？』

乾隆更急，大步走向床邊。只見棉被蓋得密不透風，棉被裡的身子抖得連床都一起晃動，不禁大驚，就喊著說：

『小燕子！妳這是怎麼了？身子不舒服，有沒有宣太醫？怎麼抖成這樣？趕快給朕瞧瞧！』

彩霞慌成一團，趕快爬行到床邊，用手緊緊壓著明月的棉被：

『格格不許瞧……』

乾隆又驚又疑：

『不許瞧？又犯老毛病了？』就拍拍棉被：『爲什麼又把自己蒙起來？這次是誰惹妳了？怎麼每次心裡不痛快，就把自己蒙起來？出來！』

明月在棉被裡含含糊糊的哼哼著：

『不……不……不出來！』

乾隆生氣，著急，喊：

『出來！朕命令妳出來！』

明月死命扯住棉被：

『不……不……不出來！』

令妃就說：

『皇上別急，格格又鬧小孩脾氣了！我來問問她！』她走上前去，伸手按住棉被，立即心驚肉跳，驚呼：『不得了！抖成這樣，一定病得不輕，不能由著她，趕快看看是怎麼了，趕快宣太醫……』一面說著，一面用力掀開了棉被。

明月從床上滾落到床下，整個人抖成一團，匍匐於地，顫聲說：

『奴婢……該……該……該死！』

乾隆大驚，眼睛瞪得像銅鈴。

12

小燕子渾然不知，漱芳齋已經有變。她陶醉得不得了。

這個晚上，對她來說，實在太珍貴了！終於親眼見到了紫薇，終於親耳聽到紫薇說不怪她，原諒她了。回宮的一路上，她一直飄飄欲仙。爾康、爾泰、紫薇都上了車，送她到宮門口。大家生怕回宮之後有狀況，拚命教她，如果被人撞到，要怎麼應付。小燕子心情那麼愉快，聽也聽不進去，毫不在意的說：

『只要進了宮門，就沒事了！如果在宮牆裡面被逮到，咱們就來個死不認帳！誰能證明咱們出過宮？』一面轉頭對永琪說：『五阿哥，就說你在教我作詩，明天紀師傅要考！趕快教我一首詩吧！』

『詩？詩？好，妳記著，皇阿瑪喜歡李白，李白有一首喝酒的詩，是這樣寫的：「花間一壺酒，獨酌無相親，舉杯邀明月，對影成三人……」』永琪真的教了起來。

小燕子忙著惡補，唸道：

『花間一壺酒，不坐不相親，舉杯……舉杯……』

『不是「不坐不相親」，是「獨酌無相親」！舉杯邀明月……就是舉著杯子，邀請妳房裡那個明月來喝酒……』爾泰趕快幫忙。

『這個我記住了，「舉杯邀明月」！有沒有「舉杯邀彩霞」呢？』

爾康覺得這個辦法爛極了，急忙說：

『聽我說！現在背詩已經來不及，反正，如果被抓到，也是落在侍衛手裡。半夜三更，沒有人會去驚動皇上！侍衛畢竟好打發，你們一個是阿哥，一個是格格，儘管拿出威風來吼他們！誰吃了熊心豹子膽，來得罪皇上面前最得寵的兩個人！所以，賴定了，是在宮裡走動走動，就對了！我和爾泰，五更就會進宮來看動靜。萬一出了什麼事，我們和令妃娘娘，一定會想辦法營救！』

永琪連連點頭：

『還是爾康腦筋清楚，就這麼辦！小燕子，別忘記妳是還珠格格，一人之下萬人之上！沒人敢惹咱們，知道嗎？』

小燕子猛點頭。

『如果進不了宮，只好先回府去商量大計，我們會看著你們進宮再離去！』

紫薇見皇宮在即，便拉著小燕子的手，非常不放心的叮囑：

『妳在宮裡，真的不比外面，妳一定要小心，不能太任性了！五阿哥有一句話：「伴君如伴虎」，妳要放在心裡呀！不管皇阿瑪多疼妳，他還是皇帝！』

『我知道了！不會再惹他了！』小燕子看著紫薇：『告訴柳青柳紅，我下次出了宮，一定會去看他們！』

『我會的！』

『別依依不捨了！宮門快到了，小燕子，妳坐回駕駛座上去！爾康，爾泰，紫薇，你們三個下車吧，不過，沒有馬車，你們怎麼回去呢？』永琪問。

『這麼好的月色，散散步就回去了！』爾康說。

小燕子把紫薇一抱，千千萬萬個捨不得，羨慕已極的說：

『我不要回宮了，我要跟你們一起，在月光下散步！』

『別鬧了！妳是我們帶出來的，如果丟了，大家都完了！趕快，下車的下車，換位子的換位子！』爾泰喊。

於是，馬車停下。爾泰爾康紫薇下車。

馬車向前駛去。小燕子在駕駛座上，拚命對紫薇揮手。

『紫薇！過兩天我再來看妳！不要氣我，不要怪我啊！』

『別喊了！我知道，我都知道……快去吧！』

馬車停在宮門前，小桂子下車，伸手拍門。

紫薇、爾康、爾泰躲在暗處觀望。

宮門開了，侍衛出來。一看是五阿哥，紛紛請安，高喊『吉祥』，對於那個半蒙著臉，縮著頭，毫不起眼的小燕子渾然不疑，馬車踢踢踏踏進去了。

宮門關上。

爾康、爾泰、紫薇從暗處走出，大家相對而笑，全都吐出一口長氣。

小燕子進了宮，好生得意，真是人不知鬼不覺。

下了馬車，永琪不放心，一直送小燕子到漱芳齋。

整個漱芳齋靜悄悄的，安詳極了，窗子上，透出明亮的燈光。

兩人四面看看，放了心。彼此互視，相對一笑。小燕子用手背拍拍永琪：

『成功了！謝謝你，這個晚上對我太重要了，我永遠忘不了今晚！你的大恩大德，我記在心上了！』

『妳記在心上就好了，別提什麼大恩大德了！』永琪眼光停在她臉上，話中有話的說。

『你快回去吧！』小燕子笑笑。

『我看妳進去了，我再回去……』想想，又說：『我送妳進去吧！怎麼小鄧子小卓子都睡死了，一個也不出來接妳？這兒黑，小心門檻……』

小燕子推開大廳的門，還回頭看永琪：

『我興奮得很，一點都不睏，乾脆進來喝杯茶吧！要不然……』睜著骨溜大眼，異想天開的說：『這樣吧！我讓小鄧子他們燙一壺酒，弄點小菜，咱們慶祝一下，好不好？』

永琪一怔，雖知不妥，但是，這種誘惑力太大了，立刻喜悅的答道：

『好極了！古人秉燭夜遊，我們也來「花間小酌」吧！哈哈！』

二人嘻嘻哈哈，進入大廳去。一走進大廳，乾隆那威嚴的聲音，就像焦雷般在兩人耳邊炸開：

『小燕子！永琪！回來了？要不要燙一壺酒，弄點小菜，咱們大家喝兩杯？』

小燕子和永琪嚇得魂飛魄散，大驚抬頭，只見乾隆和令妃端坐房中。後面站著一排宮女太監。小鄧子、小卓子、明月、彩霞跪了一地。

小燕子和永琪這一驚真是非同小可，兩人『崩咚崩咚』跪落地，異口同聲，驚慌的喊著：

『皇阿瑪！令妃娘娘！』

乾隆臉色鐵青，瞪視著二人，大喝一聲：

『你們到那裡去了？小燕子，妳說！』

令妃著急的看著小燕子和永琪，心裡也是一肚子的疑惑，沒辦法給兩人任何暗示，急得不得了。

永琪怕小燕子說得不對，急忙插嘴稟告：

『皇阿瑪，我和還珠格格……』

『永琪，沒問你，你不要開口！』乾隆打斷了永琪，看著小燕子：『妳說！』

小燕子心慌意亂，害怕極了，看永琪，看乾隆，吶吶的說：

『我們沒有去那兒，就在這御花園裡，走走……明天紀師傅要考作詩……五阿哥教我作詩……』

永琪眉頭一皺，心中暗叫不妙。

『哦？』乾隆興趣來了。『永琪教妳作詩？教妳作了什麼詩？』

『這……這……就是一首詩……一首詩……』

『那一首詩？唸來聽聽看！』

小燕子求救的看永琪。

『皇阿瑪……』永琪忍不住開口。

『永琪！你住口！』乾隆厲聲喊：『現在不是在書房，你把唬弄紀師傅那一套收起來！』

永琪閉住嘴，不敢說話了。

小燕子沒轍了，只得硬著頭皮說：

『一首有關喝酒的詩……是……舉杯邀明月……』

『哦？舉杯邀明月，怎麼樣？』

『舉杯邀明月……舉杯邀明月……』小燕子吞吞吐吐。

『舉杯邀明月……到底怎樣？』

小燕子衝口而出：

『舉杯邀明月，板子就上身！』

乾隆睜大眼睛，驚愕極了。

『什麼？妳說什麼？』

小燕子知道遮掩不過，惶急之下，又豁出去了，大聲說：

『我知道我又慘了，給皇阿瑪逮個正著，我說什麼都沒用了，反正作詩還是沒作詩都一樣，板子又要上身了！皇阿瑪，你要打我，你就打吧！五阿哥是被我逼的，你不要怪他！這次，請你換一個地方打，原來的地方傷還沒好，打手心好了……』吸口氣，眼睛一閉，伸出手掌，慘然道：『我已經準備好了！皇阿瑪請打！打過了，氣消了，再來審我！』

乾隆瞪視著她，真是又生氣，又無奈。

『妳知道會挨板子，妳還不怕？打也打不好，管也管不好，教也教不好，妳這麼頑劣，到底要朕把妳怎樣？妳的板子，朕待會兒再打，妳先告訴朕，妳這樣一身打扮，讓明月在房裡裝睡，妳到底是做什麼？』

小燕子轉頭看明月，氣呼呼的說：

『是誰出賣我？』

『誰都沒出賣妳，是朕好心來看妳，他們一屋子奴才嚇得發抖，整個床都咯吱咯吱響，朕還以爲妳又病得嚴重了，一掀棉被，明月就滾下床來了！這些奴才真是壞透了！等妳挨完打，朕再一個個打他們，然後通通送到火房裡去當差！』

小燕子大驚，『崩咚』一聲，在地上磕了一個響頭，悽楚的喊：

『皇阿瑪！我知道我這次錯大了，你要怎麼罰我都沒有關係，可是，不要怪罪到他們身上去！自從皇阿瑪把他們四個賜給了我，他們陪我，侍候我，照顧我，幫我解悶，散心……我挨打，他們比我還難過，對我簡直好得不得了……跟我已經成了一家人一樣……』

令妃忍不住咳了一聲：

『格格！奴才就是奴才……』

『我知道，我知道！』小燕子哀聲喊道：『我是金枝玉葉，不可以跟「奴才」作朋友，不可以說他們是一家人……可是，皇阿瑪！在我進宮以前，我不是金枝玉葉，我也吃過很多苦，日子過不下去的時候，我也去飯館裡做過工，也到戲班裡賣過藝，我也做過「奴才」啊！如果每個主子都那麼兇，我已經見不到皇阿瑪了！』

乾隆聽得好驚訝。

『妳去飯館做過工？去戲班子裡賣過藝？怎麼以前沒說過？什麼時候的事？』

『就是……就是從濟南到北京這一路上的事啊！我沒說，是因爲皇阿瑪沒問啊！』

乾隆凝視小燕子，覺得小燕子越來越莫測高深了，蹙眉不語。

『皇阿瑪！一人做事一人當！今晚，是我鼓動大家幫我，要打要罰，我都認了！就請您高抬貴手，饒了不相干的人！小燕子給您磕頭，給您謝恩！』小燕子連連磕頭，說得誠摯已極，字字掏自肺腑。

乾隆凝視她，頗感震撼。不知怎的，竟嚴厲不起來了。

『妳先告訴朕，妳今晚去了那裡？』

小燕子抬頭正視乾隆，心想，撒了謊也圓不過去，就老實的招了：

『去了福大人家裡！』

永琪嚇了一跳，驚看小燕子。

乾隆納悶極了，也驚看小燕子。

令妃更是吃驚，不住的看永琪，永琪對她暗暗點頭，作眼色。令妃一肚子疑惑，又沒辦法細問，只得忍耐著不說話。

小燕子就激動的喊：

『我跟皇阿瑪求過好多次，讓我出宮走走！皇阿瑪就是不許，我住在宮裡，吃最好的，穿最好的，用最好的……可是，真的像坐監牢一樣呀！我快要悶死了，煩死了，我好想出去，那怕就是看看街道，看看人群都可以！上次，爲了想出去，我連牆都翻了！這次不敢翻牆，只有求著五阿哥和爾泰，帶我出去，他們兩個看我可憐，就被我說動了！我們也沒去別的地方，只去了爾泰家裡……』

乾隆狐疑的看永琪：

『她說的是真的嗎？你們去福家了？』

永琪不得不承認了。

『是！我們去了爾泰家裡，坐了一坐就趕回來了！』

乾隆滿心疑惑，納悶的看兩人：

『你們費盡心機，好不容易蒙混出宮，居然那兒都沒去，只是去福倫家裡坐了一坐？』

『回皇阿瑪！實在不敢帶她去別的地方！』永琪斗膽說。

令妃急忙打圓場：

『哦，原來去了福倫那兒，好在是自家親戚，總比出去亂跑要好！』

乾隆在兩人臉上看來看去，實在看不出什麼破綻，就一拍桌子，厲聲說：

『永琪！你是兄長，居然跟著小燕子胡鬧！不要以爲你是阿哥，朕就會縱容你！小燕子不懂規矩，難道你也不懂嗎？』

永琪慚愧的低下頭去：

『永琪知罪！憑皇阿瑪處罰！』

小燕子看乾隆，心裡好急，知道乾隆一生氣，連格格都會挨板子，阿哥大概也逃不掉！就磕頭說：

『皇阿瑪！我說過了，一人做事一人當！罰我就可以了！』

永琪心裡也好急，想到小燕子捱打還沒好，至今連『坐』都不能坐，如果再捱打，恐怕連命都保不住了！就也磕頭喊：

『皇阿瑪！小燕子身子單薄，才捱過打，不能再罰！兒臣身爲兄長，不曾開導，甘願受罰！』

乾隆見兩個兄妹，搶著願爲對方受罰，而且都是真心真意，心裡有些震撼，有些感動，也有些困惑。聽到更鼓已經敲了三響，自己也鬧累了，就一拍桌子，站了起來，嚴肅的盯著兩個人說：

『今晚太晚了，朕沒有時間審你們！你們兩個，也可以散會了，至於酒嗎？也別喝了！明天早朝之後，你們兩個到我書房裡來，朕要好好的跟你們算算帳！』

永琪連忙磕頭，嘴裡應著：『是！』

乾隆一起身，令妃就跟著站了起來。乾隆轉身一走，令妃和宮女太監們趕緊跟隨。永琪那裡敢繼續留在漱芳齋，飛快的看了小燕子一眼，什麼話都沒辦法說，就起身追著乾隆：

『兒臣送皇阿瑪回宮！』

乾隆便帶著令妃，永琪、宮女、太監們浩浩蕩蕩的走了。

房間裡剩下小燕子、小鄧子、小卓子、明月、彩霞。五人面面相覷，全都驚魂未定。過了好半晌，大家才回過神來，小鄧子就對小燕子倒身下拜，誇張的把手高舉著再撲下地，嘴裡亂七八糟的喊：

『格格！主子！千歲！祖宗……妳饒了咱們吧！萬歲爺隨時會來漱芳齋，妳再也不要出花樣了！咱們實在招架不住啊！』

小燕子坐在地上，睜大眼睛，驚惶的想著，明天早朝以後，乾隆還要審她！天啊！怎麼辦？怎麼辦？今晚沒辦法睡覺了，天亮就得去五阿哥那兒，商量對策！

好不容易，天亮了。小燕子又穿上了那身小太監的衣服，遮遮掩掩，閃閃避避，踢踢踏踏……快步的踩著晨霧，頂著露珠，穿過重樓深院，越過亭台樓閣，直奔永琪住的『景陽宮』而來。

小順子看到她又是這副打扮，嚇了一跳，趕緊把她帶進永琪的書房。原來，這兒還有比她到得更早的兩個人，就是爾康和爾泰。三個年輕人，已經開了半天的會，對於要怎麼『招供』，還沒商量出一個結論。當房門一開，小燕子閃身而入時，三個人都吃了一驚。

小燕子看到他們三個都在，大喜，急忙說：

『你們三個臭皮匠，一定已經想好辦法了！趕快把你們的錦囊妙計告訴我吧！我只能停一下下，快說快說！』

爾康抽了一口冷氣，盯著小燕子：

『妳的膽子未免太大了吧？就這樣闖來了？有沒有被人跟蹤？』

『沒有沒有啦，我很小心的！你們別耽誤時間了，快教我吧，見了皇阿瑪，我該怎麼說？』

『過來！過來，我們圍攏一點！』永琪喊。

四人便圍在一起，緊緊張張的商量大計。

四人正在嘰嘰咕咕，門外，忽然傳來小順子、小桂子急促的大喊聲：

『皇后娘娘駕到！』

四人面面相覷，全部大驚失色。小燕子四面一看，逃都沒地方逃，只好往書桌下面一鑽。

小燕子才鑽進去，房門就開了，皇后帶著容嬤嬤和宮女們，大步走進房。

三人全部請下安去。

『兒臣永琪叩見皇額娘！』

『臣福爾康／福爾泰恭請皇后娘娘金安！』

皇后看著室內的三人，哼了一聲：

『這麼早，你們三個，是在用功呢？還是在商量國家大事呢？』

容嬤嬤站在皇后身旁，目光如鷹，在室內搜尋著。

三人全部神情緊張，魂不守舍。爾康勉強維持鎮靜，答道：

『正和五阿哥談論回疆的問題！』

『原來如此！』皇后冷冷的接了一句。

容嬤嬤已經發現了小燕子，給皇后使了一個眼色。

皇后不動聲色的看過去，只見，桌子底下，露出小燕子伏在地上的手指。

『難得五阿哥這麼關心國事，爾康和爾泰也這麼勤快，天才亮，就進宮來商議回疆問題，這真是咱們大清朝的福氣……』皇后一邊說著，一邊已走到書桌前面，她低頭看看，就用那厚厚的『花盆底』鞋，使勁的踩在小燕子的手指上。

小燕子一聲慘叫，本能用力的一揮手。

『哎喲……我的娘呀……我的天啊……！』

小燕子太用力了，皇后竟跌倒在地。容嬤嬤和宮女們慌忙去扶。皇后摔得七葷八素，狼狽的爬起身子。容嬤嬤已經放聲大叫：

『反了！反了！桌子下面有反賊！來人呀！』

外面侍衛一湧而入，紛紛驚問：

『反賊在那裡？反賊在那裡？』

爾康奮力一攔，擋住侍衛，大吼：

『你們看看清楚，這房間裡都是些什麼人？怎麼可以聽一個嬤嬤的叫喚，就隨隨便便闖進門來？』

永琪立刻和爾康同一行動，也大聲怒吼：

『這是我的書房，沒有叫傳，是誰亂闖？好大的狗膽！』

侍衛們一聽，嚇得噗通噗通，全都跪了下去，嘴裡大喊：

『奴才該死！奴才該死！』

皇后站穩了身子，看到侍衛動都不敢動，氣得臉紅脖子粗，喊道：

『是我的懿旨！把桌子底下那個小賊，給我抓出來！誰敢違抗，就是忤逆大罪！快！動手！』

侍衛們見是皇后命令，又都昏頭昏腦的答道：

『喳！奴才遵命！奴才遵命……』

侍衛向前衝，爾康、爾泰、永琪一溜擋住。永琪喊：

『那是還珠格格！誰要抓還珠格格，先抓我！』

侍衛被擋，場面亂七八糟。

小燕子再也藏不住，從桌子下面，滾了出來。痛得眼淚直流，拚命甩手，卻一挺身站了起來，臉色慘白，高高的昂著頭，氣勢凌人的大吼著說：

『我一人做事一人當，要頭一顆，要命一條！』

結果，大家又都鬧到乾隆面前去了。

乾隆看著又變成小太監的小燕子，頭都痛了。再看看跪在地上的爾康、爾泰和永琪，心裡更加困惑。一拍桌子，怒聲喝問：

『你們幾個到底是怎麼回事?昨兒個偷溜出宮，今天又開祕密會議，你們好大的膽子!爾康，你身爲一等侍衛，居然也跟著他們幾個小的胡鬧!如此鬼鬼祟祟，到底爲了什麼?爾康，你說!』

皇后嚴肅的站在乾隆身邊，冷冷的看著他們四個。

爾康不得不整理著零亂的思緒，稟告著說：

『有稟皇上，昨兒個還珠格格私下出宮，爾泰不敢將格格和阿哥帶到隨便的地方去，所以帶回了家。今天我們兄弟拂曉入宮，就爲了探視五阿哥和格格，不知道他們是不是「平安過關」了!』

『哦?』乾隆挑著眉毛：『結果呢?』

『結果，發現沒有「平安過關」，聽說皇上今天還要追究，大家就亂了章法!「還珠格格」害怕皇上震怒，一時情急，冒險扮成小太監，也到五阿哥這兒來商量對策，所以，大家就聚在一起。不料給皇后娘娘撞見了!經過情形，就是這樣!』

乾隆想了想，覺得爾康所說，合情合理。

『朕料想，你說的都是實話!』乾隆盯著爾康。

『不敢欺瞞皇上！』

乾隆喊：

『小燕子！』

小燕子驚惶的抬頭。

『皇阿瑪！』

『妳到五阿哥那兒商量「對策」？是不是？』

『是！』小燕子答得清脆。

『妳預備怎樣「對付」朕，說說看！』

爾康、爾泰、永琪都緊張起來，全部捏了一把冷汗，提心吊膽的悄看小燕子。

小燕子一怔，就求救的去看三人。

『不要看他們，只要抬頭看朕！朕要聽妳親口說說！』乾隆瞪著小燕子。

小燕子一急，連思考的餘地都沒有，話就衝口而出：

『皇阿瑪！我那兒有時間商量出「對策」呢？我前腳才進門，皇后娘娘後腳就進了門，我心裡一慌，嚇得鑽到桌子底下，又被皇后娘娘發現了，一腳踩在手指上，我現在手指大概都斷了，痛得直冒冷汗，還有什麼策不策呢？我倒楣嘛！做不得一點點錯事，自己梳了滿頭小辮子，還在那兒招搖，以爲沒有人抓得到我的小辮子！現在，滿頭小辮子被人扯得亂七八糟，頭也痛，手也痛，心也痛……什麼都顧不得了！故事編不出來，謊話說不出來，就算有「對策」，現在也變成「錯策」了！』

乾隆聽小燕子說了這麼一大串，非常稀奇，睜大眼睛。

『手指頭怎麼會斷了呢？過來給朕瞧瞧！』

小燕子便站起身，走上前去，出示手指。乾隆一看，果然，幾根纖纖玉指，全部又紅又腫。

乾隆皺了皺眉，還沒開口，皇后就冷冷的說話了：

『小燕子，不要要心機！妳躲在桌子底下，我怎麼看得見？無意踩了妳一下，也值得跟皇阿瑪告狀嗎？妳不要分散皇上的注意力，以爲皇上給妳唬弄一下，就會對妳所有的荒唐行爲，都不追究了？』

『是！』小燕子應著，可憐兮兮的看乾隆：『是給皇后娘娘「無意的、狠狠的」踩了一腳！』

皇后氣得牙癢癢，乾隆看得心酸酸。

『手指還能不能動?動一下給朕看看!』乾隆說,盯著那手指。

小燕子動了動手指,誇張的吸氣,苦著臉說:

『很痛很痛啊!彎都彎不起來了!』

『待會兒記得給胡太醫診治診治!』乾隆說。

『是!』

乾隆猛的拍了一下桌子,突然提高了聲音,厲聲大喊:

『小燕子!別以為妳的手受傷了,朕就會饒妳!』

小燕子一嚇,立刻『砰』的一聲,跪了下去。不巧膝蓋又撞在龍椅上,當場痛得齜牙咧嘴。

『哎喲……哎喲……』

爾泰、永琪、爾康三人,都不敢有任何反應,跪得直直的。

乾隆驚看小燕子:

『妳又怎麼了?』

小燕子眼中含淚,臉色蒼白,喊著說:

『皇阿瑪……我想,我的八字跟皇宮不合,自從進宮以後,大傷小傷,到處都傷!大痛小痛，到處都痛！我又很會得罪人，每個人都跟我生氣，我覺得好累呀！』

乾隆凝視小燕子。

『妳累？我看，妳弄得整個皇宮雞飛狗跳，人人都累！』

小燕子低頭不語。

乾隆嘆了口氣，對地上四個人說：

『你們都起來！』

爾康、爾泰、永琪、小燕子就站起身來。

乾隆看著四人，若有所思，沈吟片刻，說：

『你們幾個，都是皇室子弟，大家感情好，是一件好事！但是，千萬不要忘記自己的身份，什麼事該做，什麼事不該做，自己要有一個譜！不要大家跟著還珠格格亂轉，沒大沒小，沒上沒下！如果朕怪罪起來，傷了親戚和氣，如果不怪罪，豈不是又太便宜你們了？』

皇后見乾隆的意思，又活動了，顯然要放水，不禁著急：

『皇上……』

乾隆立刻看著皇后說：

『朕自有分寸，皇后不必爲他們太操心了！』

皇后被乾隆一堵，氣得説不出話來。

乾隆看爾康等三人：

『你們三個，身爲兄長，不知以身作則，你們自己説，該當何罪？』

三人還來不及説話，小燕子挺身而出：

『所有的錯，都是我一個人的！昨兒私自出宮，五阿哥和爾泰都是被我鬧的，沒有辦法！一屋子奴才，也都只有聽我的！現在，我已經知道，我的任性、自私會害了每一個人！真的後悔了，知錯了！皇阿瑪一向疼愛我，我每次闖禍，皇阿瑪都會原諒我，您就再原諒我一次吧！從今以後，我一定痛下決心，好好唸書，做個讓您驕傲的格格，來報答您，好不好？』

小燕子這一篇話，掏自肺腑，説得誠懇之至，乾隆不禁動容，嘆了口氣説：

『唉！妳實在讓朕頭痛！國家的事，已經有一大堆麻煩，朕操心都操不完了，還要整天爲妳煩惱！』

爾康連忙上前問：

『皇上是爲邊疆的戰事煩惱嗎？』

『是呀！剛剛在朝上，大臣們紛紛稟告，西藏的土司又在蠢蠢欲動，緬甸邊境，更是戰事連連，回疆也不平靜，準噶爾也有麻煩……朕想到邊境上的老百姓，連年戰爭，民不聊生，心裡很沈重！』

永琪神色一正，對這樣的父親，肅然起敬，誠懇的說：

『皇阿瑪！您整天爲國事操勞，常常深夜還在批奏章，兒臣不能爲皇阿瑪解憂，還爲一些生活小事，讓皇阿瑪生氣，真是不孝極了！現在，我已經長成，不知道可不可以，隨兆惠將軍出征！或是隨傅六叔出征！』

乾隆走近永琪，深深凝視他。

『治國不一定要帶兵！你年齡還小，唸書第一，國家的事，你不必操之過急！你從小就肯讀書，文學武功，都學得挺好！朕對你期望也很深，你不要辜負了朕，就是你的孝順了！』

幾句話說得永琪熱血沸騰，又是感動，又是受寵若驚，又是汗顏，就恭恭敬敬的，心服口服的說：

『兒臣謹遵皇阿瑪教誨！』

皇后聽著，看著，臉色鐵青。

乾隆看看小燕子，提起精神，一笑說：

『小燕子！算妳運氣，朕也不追究妳了！免得妳一天到晚提心吊膽，說不定做出更多稀奇古怪的事來！朕告訴妳，以後要出宮，不要裝成小太監，妳跟令妃娘娘說一聲，讓人跟著妳，保護妳，妳就大大方方出去吧！至於去福倫家，更無須躲躲藏藏，自家親戚，多走走也好！』

小燕子大喜過望，眼睛睜得大大的，簡直不相信自己的耳朵了。

『皇阿瑪，您不罰我啦？』她小小聲的問。

『朕不罰妳了！』

『也不罰五阿哥嗎？』她兀自不相信。

『也不罰五阿哥！』

『所有的人都不罰了嗎？』

乾隆嘆口氣：

『都不罰了！』

皇后忍無可忍，冷峻的說：

『皇上！從今以後，這後宮之中，大概就再也沒有紀律可談了！』

乾隆不悅的皺眉。

『小燕子得到過朕的特許，本來就無須受到限制，皇后，妳也睜一眼，閉一眼，不就天下太平了嗎？』

皇后氣得咬牙切齒。

小燕子卻對著乾隆，燦爛一笑，在室內翩然一轉，大聲歡呼著說：

『皇阿瑪！您有一顆最寬大，最仁慈的心！我跟您說，您不要為國家事操心了，您這麼好，老天會報答您的！我在民間的時候，聽到大家都說：「國有乾隆，穀不生蟲！」您是大家心中最好的皇帝！國家一定會越來越強的！』

乾隆驚愕的看著小燕子。永琪、爾康、爾泰三人聽得有些糊塗，彼此看了看。

『怎樣的兩句話？怎麼朕跟蟲子有關係呢？』乾隆聽不懂。事實上，沒有一個人聽懂。

小燕子滿臉發光的，振振有詞的嚷著：

『國家有了乾隆，連稻穀都不會長蟲子啦！大家把您看得跟老天爺一樣啊！您不是人，是神啊！』

乾隆睜大眼睛，有點疑惑，有點驚喜。

『是嗎？真有這樣兩句話嗎？』

小燕子拚命點頭：

『是啊是啊！你教我編，我都編不出來呀！』

乾隆尋思，不禁笑了：

『妳編不出來？說的也是！』看著小燕子，想著那兩句話，越想越得意，臉上的陰霾，竟一掃而空了。『哈哈！小燕子，妳真有一套！』就回頭對皇后得意的說：『皇后！這個小燕子，是上天賜給朕的一個「開心果」，有了她，朕的煩惱，都被她趕走了！哈哈！朕珍惜著這個「開心果」，皇后，妳也跟朕一樣珍惜吧！』

皇后又氣又愣。乾隆便拍拍皇后的肩，再說：

『小燕子的手給妳踩了一下，腿，又給朕的椅子撞了一下，就算是打過了罰過了吧！』又轉頭看永琪等三人：『至於你們，明天，每人給我交一篇文章來，談一談邊疆的治理辦法！』

三人喜出望外，異口同聲喊：

『遵命！』

一場『偷溜出宮』的大禍，就這樣消弭於無形了。四人從乾隆書房走出來，幾乎還不敢相信這個事實。怎麼這麼容易就過關了？

爾泰回頭看看，作揮汗狀。

『嚇得我一身冷汗！居然有驚無險！』

永琪見無人注意，心裡實在困惑，忍不住問小燕子：

『妳那兩句「國有乾隆，穀不生蟲」，是真的還是編的？』

小燕子轉著眼珠子：

『前一句是真的，後面那一句可能有點問題，我記不清楚了！』

爾康驚得瞪大了眼睛：

『啊？到底是怎樣兩句話？我聽起來就怪怪的！』

『我真的弄不清楚呀！可是，我知道，一定是兩句好話，因爲紫薇聽了好得意，你去問紫薇，就知道了！』

三人你看我，我看你。半晌，爾康呼出一口氣來：

『我真服了妳，這也敢隨口就說！居然也錯有錯著，讓皇上聽了好窩心，好得意！』看著小燕子，又是搖頭，又是笑。

小燕子揮著那太長的衣袖，高興起來：

『哈哈！沒想到這麼輕鬆就過關了，大家練習了半天的台詞，一句也沒用上！以後，還可以大大方方出宮去！哈哈……』不禁有些手舞足蹈起來：『我太高興了！恨不得馬上就去告訴紫薇！』

『妳不要得意忘形啊！這兩天，我勸妳收斂一點吧！皇阿瑪是爲了國家操心，沒有情緒管我們！要不然，那會這麼容易就放了我們？』永琪說，想起國事，不禁嘆了口氣。

永琪一嘆氣，爾康也跟著嘆了口氣。

小燕子就關心的看著三人，很認真的問：

『那個「西藏、麵店、生薑……」爲什麼「整個兒」很麻煩呢？讓皇阿瑪和你們都這麼煩惱？』

三人一呆，互看，半天才想明白了，大家失笑。

『妳是說「緬甸，回疆，準噶爾」是不是？』爾泰問。

『就是！就是！你們趕快教教我，搞不好皇上也要我交一篇文章，那就慘了！』

『這個，說起來就太複雜了，西藏、緬甸、回疆、準噶爾都是我們邊境的部落……』爾泰解釋著，才起了一個頭，見小燕子一臉迷惑，就放棄了。『算了，算了！就是「整個兒」很麻煩！「麵店，生薑」都很麻煩，那些麻煩跟妳比起來，妳就不夠瞧了！只能算是「芝麻，綠豆」的小麻煩了！』

爾泰說完，三人都笑了。

永琪就關心的看著小燕子，問：

『妳的手指怎樣？』

爾泰立刻接口：

『還有妳的膝蓋，撞傷沒有？』

小燕子看著兩人，嫣然一笑。

『當然很痛啦！但是，剛剛在皇阿瑪那兒，我是誇張了一點，總要讓他心痛，才能過關嘛！』

三人驚嘆的看著小燕子，真是服了她！

小燕子卻抬頭看著天空，開始作起白日夢來。

『如果紫薇能夠進宮來，跟我一起住，那就好了！她什麼都懂！』

爾康心裡一動，呆呆的看著小燕子，有個念頭，在心裡朦朧的成型了。

紫薇當天就知道整個的經過情形了。小燕子又度過一個難關！紫薇鬆了好大的一口氣。爾康對於小燕子的『有驚無險』，嘆爲觀止，不住口的說：

『她這個人一定有什麼特殊法力，會把危機一一化解，實在不可思議！我們大家嚇得魂飛魄散，教她的話，她也記不得，告訴她的事，她也不照做！真是毫無章法，亂七八糟，可是，她就有本領讓皇上開心，連邊疆戰事的隱憂，都給她一語化解了！這個人是個奇人，我不服都不行！』

紫薇清澈如水的眸子，定定的看著爾康。爾康這才想起來，問：

『到底，這「國有乾隆，穀不生蟲」是什麼意思？』

紫薇笑了，說：

『是「國有乾隆，國運昌隆」！』

爾康恍然大悟，原來如此！

13

爾康自從和紫薇去過『幽幽谷』之後，就陷進一份強烈的渴望，和濃濃的隱憂裡了。他對紫薇的愛，像江河大浪，每天都波濤洶湧，無法遏止。可是，紫薇的身份那麼特別，自己又是身不由主的人，前途茫茫，到底該怎麼辦？他每天都在想辦法，每天幾乎都生活在煎熬裡。他這種神思恍惚的情形，使福倫和福晉看在眼裡，急在心裡，不止一次，他們嚴重的警告著爾康：

『不可以！你絕對不可以和紫薇認真！你要認清一個事實！紫薇現在的地位實在太特別了，輕不得，重不得！如果她只是一個民間女子，你們既然有情，就收在身邊，作個小妾，沒什麼大不了的！可是，她又不是普通女子，她是龍女呀！你忍心委屈她嗎？』

爾康背脊一挺：

『我不會委屈她，除非鳳冠霞帔，三媒六聘，正式娶進門來，我絕不會讓她作什麼「小妾」，除了她，我也不會容納任何女人！』

『什麼鳳冠霞帔，三媒六聘？皇上根本不知道紫薇的存在，指婚的時候，怎麼樣都指不到紫薇身上，你如何跟她三媒六聘正式成親？』

『你腦筋清楚不清楚？皇上指婚的時候，你能抗旨嗎？什麼叫除了她，不要任何女人？你已經不是孩子了，在皇上面前當差，身負重任，居然說出這麼幼稚和不負責任的話！』

福倫和福晉，你一句，我一句，苦口婆心，要爾康『懸崖勒馬』。

爾康知道，父母說的，都是至理名言。只是，他和紫薇，兩情相悅，兩心相許，既已相遇，何忍分離？

是小燕子一句話提醒了爾康。福晉一句『皇上根本不知道紫薇的存在』第二次提醒了爾康……或者，大家千辛萬苦，說服紫薇不進宮是錯的！或者，應該讓乾隆知道有紫薇這個人！或者，紫薇可以進宮，和小燕子一起存在……

爾康那個朦朧的念頭，終於被一件事逼得成型了！

爾康不知道父母到底對紫薇說了些什麼，但是，這天，爾康早朝之後回家，發現紫薇和金瑣，不告而別了。

在書桌上，紫薇留下一張短箋，上面寫著：

『爾康，幾千幾萬個對不起，我走了！現在，小燕子已經塵埃落定，我的心事已了，我也應該飄然遠去了！雖然我心裡有無數無數個捨不得，但是，也有無數無數的安慰！我住在你家這一段日子裡，領略到我這一生從來沒有領略過的感情，終於知道，什麼叫做「生死相許」，什麼叫做「刻骨銘心」！我沒有白活，沒有白白認識你！感謝你對我種種種種的好，請不要為我的離去難過！我把你對我的恩情全部帶走，把我的思念和祝福一起留下！永別了！請代我照顧小燕子！照顧你的父母和爾泰！

紫薇留。』

爾康看完了信，臉上已經毫無血色，他的手顫抖著，信箋抖索得像秋風裡的落葉。他看著父母，眼睛漲得血紅，終於按捺不住，對父母揮著信箋狂叫：

『你們對她說了什麼?爲什麼對這樣一個溫婉善良的女子,你們沒有一點點同情?一定要把她逼走?你們難道不知道,她沒有家,沒有爹娘,現在,也沒有小燕子,她什麼都沒有,你們要她走到那裡去?這樣短短一封信,你們知道她有多少血淚嗎?你們不在乎失去她,也不在乎失去我嗎?』

爾康喊完,抓著信箋,衝出房門,狂奔而去。

接著,是一陣天翻地覆的搜尋。

爾康去了大雜院,柳青柳紅咬定了,根本沒有見到紫薇和金瑣。隨爾康怎麼詢問,甚至是苦苦哀求,兩人始終都是搖頭。柳青還說:

『她不見了?她不是住在你家嗎?怎麼你不看好她?』

爾康毫無辦法。突然發現,這個世界好大,要在這茫茫人海中,找尋紫薇和金瑣,幾乎是不可能的!他也在街道上尋尋覓覓,也在市集中尋尋覓覓,也在他們去過的地方尋尋覓覓……紫薇就是不見了。怕小燕子得到消息,會沈不住氣,又大鬧起來,他們還不敢讓小燕子知道。找了三天,一點蹤影都沒有!

再也沒有辦法，他和爾泰、永琪到了漱芳齋。

小燕子一聽，急得三魂六魄，全都飛了，氣急敗壞的看著爾康他們。

『你們說紫薇走了，不見了，是什麼意思？』

爾康一臉的憔悴，一身的疲倦：

『我已經找了她三天三夜，一點頭緒都沒有！我現在決定要去濟南找她，但是，不知道她在濟南的時候，到底住在那裡？老家還有什麼親戚？妳趕快把所有妳知道的事都告訴我！』

小燕子跳腳：

『她老家那裡還有人？你不知道她是把房子賣了來北京的？她的娘和所有的親戚，早就斷了關係，大家都看不起她們嘛！紫薇不會回濟南的，雖然她偶爾會說，找不著爹就回濟南，那只是說說罷了！你想，她老家什麼都沒有了，她回去幹什麼？』

『那麼，她可能去什麼地方呢？在北京，除了妳以外，她還認識誰？』

『柳青！柳紅！』

『我發現她失蹤以後，馬上就去了大雜院！柳青柳紅都說沒有見到她！孩子們也說沒見到！』

小燕子臉色蒼白，神情痛楚，跺著腳，自怨自艾：

『我就知道不能這樣過下去嘛！她一定是爲了我走掉的！她要我安心待在這裡，所以自己走掉……我……我就知道，不能依她，我該死！』她揚起手來，就給了自己一耳光。

爾泰急忙喊：

『不要什麼事都怪妳自己，這件事與妳無關，是爾康闖的禍！』

小燕子驚看爾康，糊裡糊塗，就對爾康一兇：

『你趕她走嗎？你爲什麼這樣做？』

爾康痛苦得快要死掉了。

『我趕她走？我留她都來不及，我怎麼會趕她呢？爲了她，功名利祿，前程爵位，我什麼都拋！天涯海角，跟她流浪去，我認了！』

小燕子瞪著爾康，在爾康如此坦白強烈的表示下，恍然瞭解了一些事情，不禁大大的震撼了，呆呆的看著爾康，說不出話來了。

永琪急忙一步上前，急促的說：

『爾康！你一向最冷靜，今天，你最不冷靜！這個漱芳齋，實在不是我們談話的地方，容嬤嬤說不定躲在那個角落裡，等著逮我們！所以，長話短說，小燕子，妳趕快告訴我們，紫薇還可能去那裡？如果再找不到紫薇，爾康會發瘋的！』

小燕子呆了片刻，忽然向外就跑，一面跑，一面喊：

『我去求令妃娘娘，我馬上跟你們出宮去！只有我，才找得到她！你們先去五阿哥那兒等我！我馬上就來！』

小燕子就像箭一般衝進令妃寢宮。對著令妃，就噗通一跪，喊著：

『令妃娘娘！皇阿瑪說，如果我想出宮，只要跟妳說一聲就成！我現在就想出去，妳讓我出去吧！』

『現在？』令妃好驚愕。

『是啊！現在天氣又好，太陽又好，我出去透透氣，馬上就回來，好不好？』

『誰保護妳？』

『有爾康和爾泰啊！』

令妃一怔，又是爾康爾泰，看著心急如焚的小燕子，以為自己明白了。爾康和爾泰是她的內姪，都還沒有指婚，如果能和小燕子成親，那是再好也不過了。她心中想著，也就樂得『放行』了。

『讓小鄧子小卓子跟著，換一身平民衣裳，不許單獨行動，不許去雜亂的地方，吃晚飯前一定要回來！』

『是，是，是，是……』小燕子一疊連聲，應了幾百個是，磕了好幾個頭，然後，跳起身子，又像箭一樣的射出門外去了。

半個時辰以後，小燕子、爾康、爾泰、永琪帶著僕從，駕著馬車，來到大雜院。

院子裡的孩子和老人們，看到小燕子，一擁而上，別提多麼開心和意外了。幾千幾萬個問題要問。小燕子沒有時間和他們『話舊』，匆匆忙忙的，把柳青柳紅拉到一邊，爾康、爾泰、永琪都圍了過來。

小燕子便對柳青柳紅正色說：

『柳青，柳紅！這三位是我的好朋友，哥們！和你們一樣，我跟他們已經拜了把子！自從我離開大雜院，我發生了很多事，好幾次都差一點翹辮子，是他們三個，一次又一次的救了我，他們對我有恩，是自己人！』

柳青的臉色立刻僵硬起來：

『妳失蹤了這麼久，第一次回來，就是爲了給我介紹朋友嗎？』

小燕子臉一板，聲音提高了：

『不是介紹朋友，是問你要兩個人！』說著，就對柳青柳紅一兇：『你們把紫薇和金瑣藏到那裡去了？』

柳青一呆。

『誰說我藏了她們？妳好奇怪！』

『真的沒看到她們！不知道她們在那裡！』柳紅也說。

小燕子一跺腳，嚷著：

『你們是怎麼回事？不認得我是誰嗎？不記得我是誰嗎？也不記得在這大雜院裡，你們兩個親眼看見我和紫薇結拜的嗎？她是我的妹妹呀！如果不是事關緊急，我會跑出來找你們嗎？你們也知道，我現在待的地方，出來一趟，難得不得了！你們不要跟我打馬虎眼了，再不告訴我，我就翻臉了！』

柳青漲紅了臉：

『我說不知道就是不知道！』

小燕子大怒，對柳青就一拳打去。

『你氣死我！你如果不知道紫薇在那裡，你就是小狗！你在我面前還撒得了謊嗎？你滿臉都寫了字，你知道！你明明知道！』她掉頭看柳紅，大聲喊：『柳紅！你們以爲在幫紫薇嗎？你們在害她呀！妳要讓她哭死嗎？要讓她傷心死嗎？再不說，我一輩子不理你們了！』

柳紅嘆了口氣：

『好了好了！我告訴妳吧！妳去銀杏坡，土地廟後面的山坡上，有一間小茅屋……』

柳青跺腳，喊：

『柳紅！妳怎麼這麼沈不住氣？』

柳紅抬頭看柳青：

『哥！你真的要讓紫薇哭死嗎？』

爾康、爾泰、永琪彼此一看，立刻掉頭跑向馬車。

小茅屋順利找到了。

大家跳下車，紛紛衝向茅屋，小燕子大喊著：

『紫薇！紫薇！妳快出來！我來找妳了啊！』

爾康已經身先眾人，衝到茅屋前，一推門，門便開了。

房內空空如也，只有簡單的炊具，四壁蕭然，什麼人都沒有。

爾康一呆，小燕子一呆，隨後奔來的爾泰和永琪都一呆。

『我們被騙了！這兒那裡像姑娘住的地方？』

『就是嘛！連張床都沒有，只有稻草堆！』

小燕子回頭，很有把握的說：

『柳紅不會騙我們，她們一定就在這附近！大家散開來找！』便大喊：『小鄧子！小卓子！小桂子！你們都幫忙去找人！』

幾個太監苦著臉，小鄧子問：

『格格要找誰？高的還是矮的？胖的還是瘦的？』

『兩個姑娘！和我一般大，長得像天仙一樣的，就對了！』小燕子說。

三個太監應著『喳』，分頭去找。

爾康失望的走出茅屋，站在山坡上眺望。四面一看，忽然驚覺：

『這兒離一個地方好近……幽幽谷！』

爾康驀然之間，衝到馬車前，解下一匹馬，飛身躍上馬背。

『駕！駕！駕……』

爾康一夾馬腹，馬兒如箭離弦，飛快的向前奔去。

小燕子和衆人，目瞪口呆，紛紛大叫：

『爾康！爾康！你去那裡？爾康……』

紫薇確實在幽幽谷。

本來，只要柳青給她弄個可以住的地方，怎麼都沒想到，那麼巧！小茅屋的後面，走不了多遠，竟然是幽幽谷！第一天住進來，百無聊賴，整天在外面走，走來走去，就發現了這個山谷，然後，她就離不開這個山谷了。站在水邊，想著爾康，她的心已碎，魂已飛。爲什麼要相遇呢？

爲什麼相遇又不能相守呢？難道，母親的命運，要在自己身上重演？終生的等待，終生的相思！卻再也見不到面了！她想著母親的歌：『山也迢迢，水也迢迢，山水迢迢路遙遙！盼了昨宵，又盼今朝，盼來盼去魂也消！』心裡真是千迴百轉，百轉千迴。

雲淡淡，風清清，水盈盈。

紫薇就這樣默默的站著，動也不動。一任雲來雲往，風來風去，花飛花落……金瑣不敢打擾她，坐在遠遠的一角的石頭上。關心的，同情的，無奈的注視著她。

忽然間，馬蹄聲傳來。

紫薇被馬蹄驚動了，驀然回頭，簡直不敢相信她的眼睛，是爾康！他正騎馬奔來。她挺立著，不能動，不能呼吸。爾康的身影，越奔越近，越奔越近，越奔越近……

金瑣站起身來，驚喜交集，看著爾康。

爾康奔到紫薇身邊，翻身落馬。他喘吁吁的站著，一瞬也不瞬的看著紫薇。兩人都不說話，就這樣痴痴對視，好久，好久。然後，爾康張開雙臂，紫薇就投進他的懷裡去了。兩人緊緊的，緊緊的擁抱著，只覺得萬籟無聲，天地無存。世界上，只剩下他們兩個，遺世而獨立。

好半天，爾康才抬起頭來，看著她，恍如隔世。

『紫薇，妳好殘忍！留那樣一封信給我，寫上一句「生死相許，刻骨銘心」，再寫上一句「永別了！」然後一走了之！妳知道這對我是怎樣的打擊？妳安心要我活不下去，是不是？』

紫薇落淚了，定定的看著爾康。千言萬語，不知從何說起。

『你怎麼會找到了我？』她問。

爾康拉著她的手，緊緊的看著她。

『這個，慢慢再告訴妳！算是我們心有靈犀吧！現在，有一大堆人在等著我們呢！我要妳一句話……』

『什麼話？』

『妳真的要離開我嗎？妳真的要走出我的生命嗎？真的嗎？』

紫薇一瞬也不瞬的迎視著他，眼裡燃燒著一片炙熱的深情。心裡的千迴百轉，百轉千迴，化成兩句最纏綿的誓言，她低低的，堅定的唸了兩句詩：

『山無稜，天地合，才敢與君絶！』

爾康把她重重一抱，熱烈的喊：

『有妳這樣幾句話，我們還怕什麼？命運在我們自己手裡，讓我們去創造命運吧！事在人爲啊！我會拚掉我的生命，來爲我們的命運奮鬥！』

金瑣站在一邊，流了滿臉的淚。

小燕子等一群人，正在茅屋前面著急，找了半天，什麼人都沒有找到。忽然，大家聽到馬蹄答答，抬頭一看，只見紫薇和爾康並騎著馬，緩步徐行，像夢一樣的出現。金瑣遠遠的跟在後面。

小燕子發出一聲歡呼：

『爾康找到她了！找到她了呀！』便揚起手帕，跳著腳大叫：『紫薇！紫薇！我在這兒啊！』

紫薇在馬背上，也對衆人揮手。

永琪見雙人一騎，綠野紅駒，兩人耳鬢廝磨，衣袂翩然，不禁感動的大嘆：

『這好像一幅畫，畫的名字就叫「只羨鴛鴦不羨仙」！』

爾泰羨慕的接口：

『能夠這樣愛一場，痛苦一下也值得了！』

爾康見到衆人，不好意思再慢慢騎，催馬上前。

爾康和紫薇剛剛下馬，小燕子就衝上去，拉著紫薇的手，跳腳大罵：

『妳搞什麼鬼？好端端的鬧失蹤，要嚇死我們每一個人嗎？上次才一本正經的教訓我，說是什麼有福同享，有難同當的！妳現在跑來睡小茅屋，是不是要我跟妳一起來睡小茅屋？好嘛，咱們「有稻草同睡，有茅屋同住」，我今天不回宮了！我得跟妳「有難同當」！』

永琪一聽，嚇壞了。

『妳可別陷害令妃娘娘啊！是她保妳出來的！』

『管不著了！』

爾泰見小燕子認真的樣子，覺得有點擔心，回頭看永琪：

『我跟你說，我們遲早會被這兩個格格，弄得天下大亂，人仰馬翻！』

『還說什麼「遲早」，「已經」天下大亂，人仰馬翻了！』

紫薇見衆人這樣勞師動衆來找她，已經不安，再聽大家這樣一說，更加不安，就對衆人團團一揖，說道：

『不知道會把你們鬧成這樣，還驚動了五阿哥，真是對不起！』

小燕子氣呼呼的喊：

『什麼「不知道」！妳用腳趾頭想，也知道會鬧成這樣！哦……』忽然拉住紫薇，身子轉開一點點，就問：『我還沒有審妳，什麼時候和爾康對上眼的？上次見面怎麼也不說一聲……』

紫薇見眾目睽睽，大窘，跺腳，身子一躲，臉一紅。

『不要說了嘛！』

這時，金瑣已經走來，見這麼多人，連忙說：

『要不要進屋裡去坐？我去燒壺開水，給大家泡壺茶，好不好？』

小燕子拉住金瑣。

『算了，那個屋裡，他們也坐不下去，我們就在這草地上坐坐，算是出來郊遊吧！』

永琪高興的說：

『對呀！難得有這樣的機會，大家可以從那個綠瓦紅牆裡，到這個有山有樹的地方來，算我們沾了爾康和紫薇的光！今天是個大日子，離別的人能夠重逢，有緣的人能夠相聚！太好了！真該好好慶祝一下！咱們就席地而坐吧！』便回頭大喊：『小鄧子！小卓子！小桂子！你們把馬兒拉去吃草！走遠一點，不要打擾我們！知道嗎？』

三個太監，已經很習慣這幾個主子的神神祕祕，便拉著馬，走到遠處去了。

爾康見四野無人，正是討論大事的時候，就對大家鄭重的說：

『我有一個大計劃要宣布！你們大家聽好，這個主意，我已經想了很久，一直只是醞釀著，沒有成熟，今天，我被紫薇逼得非拿主意不可了！方法是有一點冒險，但是，說不定可以解決我們大家的困境，製造出一個全新的局面！』

小燕子又緊張，又興奮：

『什麼方法？快說！快說！』

爾康就鄭重的，一個字一個字的說：

『讓紫薇進宮去！』

大家一怔。

『怎麼進宮？皇宮這麼容易進去嗎？』爾泰問。

『這要看小燕子的工夫了，以前，紫薇進不了宮，見不到皇上，因爲沒有門路；現在不同，她有一個結拜的姐姐當了格格，這個格格在皇上面前很吃得開，那麼，要個宮女總可以吧！就算小燕子看中了我們家的一個丫頭，可不可以跟咱們要了，帶進宮裡去呢？這事連皇上都不必驚動，皇上日理萬機，那兒管得著宮女的事？小燕子只要去求令妃娘娘，我再讓額娘去跟她打邊鼓！一定進得了宮！』爾康說。

『我不懂，就算紫薇能夠進宮，目的何在？總不能跑到皇阿瑪面前去說，小燕子不是格格，我才是格格！那豈不是坐實小燕子的欺君大罪？如果不說真相，進宮去當宮女，豈不是又多一個人陷進宮裡？』爾泰問。

『進了宮，就看紫薇的了！只要有機會接近皇上，紫薇不必說穿真相，只要慢慢讓皇上瞭解有她這麼一個人，見機行事！我覺得，皇上和小燕子的父女之情，已經奠定，牢不可破！如果他再發現有個紫薇，似乎更像夏雨荷的女兒，更像自己的女兒……使他不得不喜歡，不得不親近，到了那一天，我們再把真相告訴他！我的如意算盤是，真假格格，他都喜歡，都捨不得！說不定，他會把她們兩個，一起接受！』

大家你看我，我看你，認真的思索起來。

爾泰想了想，本能的抗拒：

『不行！不行！你這叫做「病急亂投醫」！本來，一個小燕子在宮裡，我們已經提心吊膽，現在，再加一個紫薇，不是更加混亂了？你的最終目的，就是要讓她們兩個各歸各位，讓紫薇得回格格的身份，那麼，你就可以名正言順的請求皇上「指婚」！你這個圈子兜得太大了，萬一弄巧成拙，你會害了小燕子！我反對！這樣太自私，太危險！』

爾泰這樣一說，紫薇立刻跳了起來。

『爾泰說得對！我不幹！只要威脅到小燕子的事，我通通不幹！』說著，就看爾康，責備的說：『你太自私了，本來，你最怕的就是小燕子身份被看穿，現在，你居然作這樣的提議，你好可怕！』

爾康大大的嘆了一口氣。

『我可怕？我自私？你們不要拚命給我加罪名，而不用大腦去想一想！你們想，紫薇會讓小燕子危險嗎？她會拚命保護小燕子的！小燕子現在才危險，一天到晚想出宮，有了危機不會躲，被跟蹤了也不知道！紫薇進了宮，姐妹兩個有商有量，紫薇可以做小燕子的手，小燕子的眼睛，小燕子的頭腦，對小燕子，才是一個大大的幫助呢！我承認，我最終的目的確實是爾泰所說的，難道，你們大家不想那樣嗎？紫薇真的不想認爹嗎？小燕子真的不想脫身嗎？』

幾句話說得小燕子熱血沸騰，眼睛發光，激動的嚷道：

『我想我想！我決定了！就這麼做！』說著，就站起身來，急匆匆的喊：『我這就回去，告訴皇阿瑪我要紫薇進宮……不過……』看著紫薇：『我當格格，要妳當宮女，好像太委屈妳了，我就說，我有個妹妹……』

『妳看妳！妳是夏雨荷的女兒，怎麼會有妹妹呢？宮女就是宮女！只有宮女，進宮才容易！』永琪說，看著小燕子，突然對這個計劃也興奮起來：『如果真要這麼做，大家就要把細節編得清清楚楚，天衣無縫才行！』

『我還是反對，任何天衣無縫的故事，到了小燕子那兒，都會變得天衣有縫！』爾泰說。

小燕子氣得把爾泰一推，大吼著說：

『你對我有點信心好不好？這件事關係到紫薇認爹，關係到我的腦袋，關係到紫薇和爾康能不能做夫妻……我還不知道嚴重性嗎？大家編故事吧，我就是用一個字一個字背的，我也要把它背出來！我再也不能忍受，紫薇和大家，爲我而痛苦了！如果紫薇再失蹤一次，我那個格格也做不下去了！』

紫薇看著大家，這個提議，對她確實是個大誘惑，但是，她仍然抗拒著。

『不要忙！我覺得不好，那裡不好，我也說不上來，就是覺得很危險！雖然，進宮能見到皇上，對我是一個太大的誘惑，就算不能認爹，讓我有機會親近一下，也是好的！可是，我很怕小燕子因爲同情我，在乎我，會在一個衝動下，把真相整個抖出來，我不要！我不同意！』

小燕子急壞了，抓著紫薇的手，拚命搖著，喊著，哀求著。

『妳不要婆婆媽媽了，如果我會抖出來，現在也會呀！想想看！這是多麼偉大的提議，說不定我不用丟腦袋，就可以把妳爹還給妳！就算不行吧，有妳進宮來陪著我，我夜裡作夢都會笑！我跟妳發誓，我一定都聽妳的話，只要妳覺得危險的事，我全體不做！妳要說出真相的時候再說，妳不說的話，我咬緊牙關，絕對絕對不說！紫薇，求求妳！同意了吧！看在結拜的份上，不是有福同享，有難同當的嗎？與其我來跟妳住茅屋，不如妳去跟我住皇宮！』

小燕子這一篇話，可說得合情合理，婉轉動聽，又誠懇之至。紫薇的心，就大大的活動起來。

爾康就對紫薇積極的，誠懇的說：

『紫薇，給妳自己一個機會，也給我們兩個一線生機！我們以半年爲期，如果半年之間，狀況不能突破，小燕子就宣稱不要妳了，我們就把妳接回家裡去！如果，皇上真的認了妳，我們所有的難題，就迎刃而解了！』

永琪想明白了，不住點頭，深思的說：

『我越想，就覺得這個辦法實在不錯，目前，我們大家等於是生活在一個大謊言裡，每天擔心著怎麼圓謊，確實不是一個長久之計！小燕子的祕密，其實隨時都有可能拆穿，危危險險的！這是紫薇和小燕子唯一的機會！只要皇阿瑪兩個都喜歡，她們彼此又情深義重，皇阿瑪本來就是性情中人，到時候，一定會感動！只要他感動了，大概就不會追究小燕子的欺君大罪了！』

一直在默默旁聽的金瑣，此時，再也按捺不住，上前激動的說：

『小姐！妳的夢想，太太的遺命，爾康少爺的希望，都在妳的身上啊！妳還考慮什麼呢？不過……』她掉頭看小燕子，鄭而重之的說：『妳不能只要一個宮女，妳得連我一起弄進宮去才行！我和小姐，是絕不分開的！』

爾泰看著大家，大叫：

『你們通通走火入魔，全體發瘋了！不過，既然要發瘋，大家一起發吧！時間寶貴，你們還拖拖拉拉些什麼？大家過來過來，仔細的編故事吧！』

於是，全體的人，都聚了過去。

就這樣，大家作了一個決定：把紫薇送進宮去！

14

一切都照計劃進行。

小燕子沒有耽擱，第二天一早，就到了令妃面前，對著令妃就跪下磕頭。

『娘娘！我有事情要求妳幫忙！』

『幹嘛行這麼大的禮？趕快起來！』令妃驚愕的說。

臘梅冬雪就去攙扶小燕子。

『不起來！不起來！等娘娘答應了我，我才要起來！』

『什麼事情那麼嚴重？』

「對娘娘來說，是一件小事！我想增加兩個宮女！」

「妳還要兩個宮女？難道明月彩霞侍候得不好嗎？」令妃不解，困惑著。

「不不不！她們兩個好極了，只是，我還想要兩個人！」

「再要兩個人也不難，只是，妳一個人，需要那麼多人侍候嗎？」

「其實，不是侍候，是解悶！這兩個人如果進了宮，我就不會每天鬧著要出宮了！娘娘也可以少操一點心！」

令妃大驚：

「難道，妳還有指定的人選不成？難道……還要從宮外弄進來不成？」

小燕子就從地上站起，走過去，摟住了令妃的肩。

「娘娘！算妳寵我一次！我知道，您心裡疼我，每次有好吃的，好用的，您總是送給我！皇后娘娘罵我的時候，總是您幫我說話，我將來一定會報答您的！您寵我就寵到底吧！把這兩個宮女賜給我吧！」

令妃聽得糊裡糊塗。

「那兩個呢？」

『她們一個叫紫薇，一個叫金瑣！現在都在福倫大人家裡當差！』

『福倫？又是他們家？』令妃審視小燕子：『妳跟他們家走得真近！』

『那兩個丫頭真是好得不得了，跟我投緣得不得了，簡直像我的姐妹一樣！她們進了宮，我也不需要宮裡發月俸錢給她們，皇阿瑪賜我的銀子，我還沒有用完，我自己付月俸！只要您允許她們進宮！』

令妃凝視小燕子，十分疑惑。

『好！這件事我放在心上了，等我考慮幾天再說！』

小燕子急死了。

『娘娘，不用考慮了！我那個漱芳齋，每天的飯菜都吃不下，多兩個人吃飯，一點問題都沒有！』

『那也不能說是風，就是雨，要怎麼辦，就怎麼辦！總得讓我想想！』

小燕子再急，也無可奈何了，只好等令妃考慮。

令妃並沒有考慮太久，找來了福晉，她仔細的問了問，福晉早已和大家套好了詞，說得頭頭是道。令妃這才恍然大悟：

『妳說，那兩個姑娘是還珠格格的結拜姐妹？』

『是啊！當時，還珠格格剛進宮，見著爾泰，她就託爾泰去照顧這兩個姑娘！爾泰那會做這些事呢？我就跑了一趟，誰知這兩個姑娘，長得玲瓏剔透，乾乾淨淨，我一看就喜歡，乾脆接到家裡來，讓她們幫忙做做家事。這樣，還珠格格想她們的時候，來我家就見著了！』

『原來如此啊！這孩子，怎麼也不跟我明說呢？那麼，上次格格偷溜出宮，也是要見她們兩個嗎？』

『不錯！三個姑娘，感情好得不得了！』

令妃沈吟：

『依妳看，她們進宮來當宮女，有沒有什麼不妥呢？』

福晉看著令妃，誠懇的說：

『還珠格格現在是皇上面前的小紅人，這也是妳處理得當的結果！說真的，不定那一天，我們會需要她的支持！讓她高興，又有什麼不好呢？宮裡又不在乎多兩個人，至於這兩個姑娘的人品，我可以擔保！』

令妃眼睛一亮：

『是啊！還是姐姐妳想得周到，那麼，就這麼決定了吧！過兩天，妳就讓她們進宮來吧！』

真是順利得出乎意料。本來，在宮中，尊貴如令妃，要安排兩個宮女進宮，根本就是小事一件。

紫薇進宮的前一晚，爾康真是矛盾極了，擔心極了。離愁依依，千絲萬縷。對紫薇，有說不完的話：

『紫薇，這次把妳送進宮，實在是無可奈何的一條路，我千思萬想，只有冒這個險，才能讓每個人都各得其所！可是，在我心裡，真巴不得妳再也不要離開我！那道宮牆，雖然只是一道牆，感覺上，有些像銅牆鐵壁！我還真不放心妳，不捨得妳！明天妳進了宮，我會一直擔心下去，還不知道要擔心到那一天為止？妳還沒進宮，我已經有些後悔了！不知道這步棋到底是對，還是不對？妳答應我，千萬千萬，要小心謹慎啊！』

紫薇不住點頭，凝視著爾康。

『你放心，我不是小燕子，我會非常小心，非常謹慎的！我知道你作這樣的安排，有多麼矛盾！我也知道，你為我想得多麼深入！你明白我心底對皇上的渴望，你也明白，我在你家這樣住下去，妾身不明，非長久之計！現在安排我進宮，解決了我處境的尷尬，又給未來舖下了一條相聚的路，你真是用心良苦！如果我不瞭解你這種種用心，我也不會聽你安排了！』

爾康聽得又是激動，又是感動，又是心醉，又是心碎。

『有時，真恨自己生在公侯之家，弄得身不由己！那天，在幽幽谷見到妳，我應該把妳抱上馬，就這樣策馬而去，再也不要回來！』

『如果那樣，你就不是有擔當，有責任感的福爾康了！』

爾康深深的盯著她。

『妳進了宮，我們見面就不像現在這麼容易，但是，我還是會進宮來跟妳見面！妳隨時要跟五阿哥聯絡，每天都要讓我知道妳的情形！』

紫薇拚命點頭，眼中已有淚光。

『在宮裡，不比外邊，妳又只是一個宮女，不像小燕子有「格格」身份撐腰，妳的一舉一動，都要留神。對皇上，也不要太心急，更不要親情發作，就不能自已！妳一定要有個數，他心底，已經先入為主的認了小燕子！』

『我知道，我都知道！』

『萬一在宮裡住不下去，告訴五阿哥，我們就接妳出來，千萬不要勉强！』

『我知道，我都知道！』

爾康深深切切的看著她，恨不得用眼光將她緊緊鎖住。

『記住！今天的小別，是爲了以後的天長地久！』

紫薇又拚命點頭。

『那麼，妳還有話要跟我說嗎？』爾康不捨已極的看著她。

『珍重！』

爾康心頭一熱。

『就這麼兩個字？』期待的問：『還有没有別的呢？』

紫薇就走到桌前坐下，開始撫琴。她一面撥出叮叮咚咚的音符，一面凝視著爾康，婉轉的唱著：

『聚也不容易，散也不容易，聚散兩依依，今夕知何夕！
見也不容易，別也不容易，寧可相思苦，怕作浮萍聚！

走也不容易，留也不容易，心有千千結，個個爲君繫！
醒也不容易，醉也不容易，今宵離別後，還請長相憶！』

紫薇唱完，眼光幽幽柔柔的看著爾康。

爾康神魂俱醉，痴倒在紫薇的眼神歌聲裡。

於是，這一天，福晉領著紫薇、金瑣，進了宮，直接來到令妃面前。

小燕子早就等在令妃旁邊，用熱切的眸子，盯著紫薇，興奮得不得了。

『娘娘！我把紫薇和金瑣帶來了！』福晉說。

紫薇和金瑣雙雙跪下磕頭。

『奴婢紫薇叩見令妃娘娘！娘娘千歲千千歲！』

『奴婢金瑣叩見令妃娘娘！娘娘千歲千千歲！』金瑣也跟著磕頭。

『抬起頭來！給我瞧瞧！』令妃說。

紫薇和金瑣便雙雙抬頭。

令妃走到兩人面前，仔細的打量二人，心裡有些驚訝，不能不讚美：

『喲！長得真是不錯！白白淨淨，清清秀秀的！』便問紫薇：『幾歲啦？』

『奴婢十八歲！』

『我十七！』金瑣急忙跟著答。

『沒問妳，不用答話！』令妃笑著說。

『是！我知道了！』金瑣急忙回答。

『好了，這「我呀我的」毛病，慢慢再改吧！跟了還珠格格，我想，這規矩就難教了！不過，格格得到皇上特許，可以不苛求「規矩」，妳們兩個，就不一樣了！這些宮中的禮儀規範，還是要遵守的！如果出了差錯，別人會說我令妃，怎麼讓妳們兩個進宮的！知道嗎？』

紫薇急忙磕頭說：

『奴婢謝娘娘指點！一定遵守規矩，不讓娘娘爲難！』

令妃一怔，忍不住再看了紫薇一眼。

小燕子站在一邊，早已忍耐不住，上前對令妃急急的說：

『我可不可以帶她們回漱芳齋了？』

『妳急什麼?我話還沒有說完呢!』令妃又對兩人叮囑:『妳們兩個,是靠著還珠格格的面子進宮來的,沒有受過正式的宮女訓練,自己要機警一點,要知道分寸!就算在漱芳齋裡,也不可以和格格沒上沒下!宮裡地方大,除了漱芳齋,別的地方不要亂走亂逛!出了樓子,可沒有人給妳們收拾!』

紫薇又磕頭,說:

『奴婢謹遵娘娘教誨!一定會自我約束,謹守本份,不敢逾矩!』

令妃又看了紫薇一眼,覺得此女說話不俗,有點納悶。

小燕子已經急得不得了。

『娘娘!您說完沒有?其他的規矩,我會慢慢的教她們!』

令妃睜大眼睛,失笑的說:

『妳教?那妳還是別教的好!』

正說著,外面忽然傳來太監的大聲通報:

『皇上駕到!』

紫薇一聽到這四個字,腦中頓時轟的一響,整個人就驚得一顫。皇上?皇上?她才進宮,居然馬上可以見到皇上？天啊！她的心擂鼓似的在胸腔裡敲擊，臉色頓時發白，眼睛直了。皇上來了，乾隆來了，那一國之君，萬人之上，她從未謀面的親爹啊！她簡直不能呼吸了，跪在那兒動也不敢動。

乾隆大步走進。一屋子的人請安的請安，拜倒的拜倒。

令妃和福晉急忙迎過去。

『皇上，怎麼這會兒有時間過來？』令妃問。

乾隆心情良好，大笑說：

『哈哈！今天真高興，緬甸的問題解決了！他們居然派了使者，要來講和！可見咱們大清朝，還是威名赫赫！幾位大將，都不含糊！』這才看到福晉，笑著說：『喲！這兒有客！』

福晉早已福了下去：

『臣妾參見皇上！』

乾隆對福晉點點頭，和顏悅色的說：

『朕剛剛還獎勵了福倫一番！妳家的爾康爾泰，越來越有出息了，妳的相夫教子，功不可沒！』他一轉眼，看到小燕子，更樂了，對小燕子招手說：『過來！過來！許妳不學規矩，妳見了皇阿瑪，還是應該主動招呼一聲，怎麼這樣傻傻的？』

小燕子看到乾隆進門，就和紫薇一樣，興奮得發呆了。一雙眼睛，不停的看乾隆，又不停的看紫薇，恨不得衝上前去，拉著乾隆大喊：『看啊看啊！那才是你的女兒啊！趕快認清楚啊，那才是你真正的還珠格格啊……』可是，她什麼話都不能說，拚命憋著，看來看去，心情緊張，魂不守舍。這時，聽到乾隆點名召喚，才急忙請安，說道：

『皇阿瑪吉祥！』

乾隆對小燕子笑著說：

『哈哈！妳是金口啊！居然給妳說中了！妳說，國家會越來越強盛的，果然不錯！「國有乾隆，穀不生蟲」也有點道理！哈哈！』

乾隆忽然看到跪在地上的紫薇金瑣，一怔，就仔細的看了看。紫薇接觸到乾隆的眼光，心裡崩咚崩咚跳，心臟幾乎從嘴裡跳了出來。她知道應該低頭，就是無法移開視線。天啊！他多麼英俊，多麼高大，多麼神氣啊！她心裡想著，身子僵著。乾隆看了一會兒，覺得眼生，便不在意的揮手說：

『起來！起來！不要每個人看到朕，就跪著忘記起身！』

紫薇再度一顫，看到乾隆跟自己說話，連呼吸都幾乎停止了，臉色蒼白得厲害。

在一邊的福晉，急得要命，趕快走過去，輕輕一碰紫薇：

『皇上要妳們起來，就趕快謝恩起來呀！』

紫薇這才震動的覺醒，抖著聲音磕下頭去。

『謝皇上恩典！』

金瑣也跟著說了一句，兩人站了起來。紫薇心情太激動了，又在久跪之後，腳下一軟，差點跌倒。金瑣急忙扶住，一聲『小姐』幾乎脫口而出，幸好及時嚥住了。

乾隆覺得兩人有點奇怪，詫異的再看了她們一眼。

令妃就說：

『這是新來的兩個宮女，我撥給小燕子用了！』

乾隆聽說是宮女，毫無興趣。

『哦！』轉頭看小燕子：『妳今天是怎麼啦？平常話多得很，今天怎麼如此安靜？』

小燕子一驚，慌忙振作了一下，沒話找話，對乾隆說：

『皇阿瑪，「麵店」的問題解決了，「生薑」的麻煩是不是也沒有了？』

乾隆怔了怔，半天才醒悟，大笑說：

『是！「麵店」的問題解決了，「生薑」的麻煩也會過去！』拍拍小燕子的肩膀，立即一瞪眼：『什麼「麵店」「生薑」，還「麻油」呢！明天去跟紀師傅說，皇阿瑪要妳把邊疆問題，弄清楚！』

小燕子著急，提到紀師傅就頭大，說：

『「生薑」都還沒鬧明白，你還要我學「邊薑」！「邊薑」是個什麼薑，我怎麼弄得清楚嘛！明天我可不可以不上課？因爲，我……』看紫薇，突然把紫薇推到乾隆面前，冒出一句：

『這是紫薇！』又指指金瑣：『那是金瑣！』

乾隆覺得莫名其妙，再看了兩人一眼，心不在焉的說：

『好好，妳們不必一直杵在這兒，下去吧！』

紫薇的心，驀的一沈，好生失望，臉色就一片惘然，眼神中一片落寞。

小燕子急忙對乾隆屈了屈膝，嚷著說：

『謝謝皇阿瑪！我帶她們先去漱芳齋，等會兒再來侍候您！』

小燕子一拉紫薇，紫薇便對乾隆福了一福，跟著小燕子，失魂落魄的出去了。金瑣依樣葫蘆的福了一福，也跟著出去了。

福晉這才暗暗的呼出一口氣。被這一幕父女相見，弄得緊張死了。

從『延禧宮』出來，紫薇失神落魄，小燕子神魂未定，金瑣卻興奮不已。

『我見著皇上了耶！真的是皇上耶！他看起來好年輕，好威風啊！他脾氣挺好的樣子，一直笑！』金瑣低低的，不敢相信的說。

『你沒看到他發脾氣的時候，只要喉嚨裡哼那麼一聲，一屋子的人都會嚇掉魂，噗通噗通全跪一地！』小燕子說。

金瑣陷在自己的震撼裡：

『當皇上好神氣呀！』她轉頭看小燕子，羨慕的：『妳也很過癮嘛！皇上對妳那麼好，妳說那個「生薑」的時候，他笑得好高興！』忽然發現紫薇的失魂落魄，急忙對紫薇說：『小姐，妳不要難過，他等於還沒發現妳呢！』

小燕子也急忙對紫薇說：

『今天才是妳第一天進宮，想不到皇阿瑪會突然進來，妳一點準備都沒有，當然沒辦法引起皇阿瑪的注意，妳千萬不要洩氣，日子還長呢！』

紫薇眼中含淚，輕輕的說：

『我沒有洩氣，也沒有難過，只是……忽然發現自己的親爹站在那兒，高大，挺拔，威武，神氣……我覺得心裡像是燒滾的油鍋一樣，整顆心都快從嘴裡掉出來了。我那麼激動，但是，他幾乎沒有正眼看我！』

『小姐，妳別急呀！小燕子說得對，日子還長著呢！咱們慢慢等機會嘛！』

紫薇忽然回過神來，驚覺的說：

『金瑣！小心！妳如果不改稱呼，我們遲早會出問題的！』

金瑣被提醒了，急忙收收神：

『我忘了！以後一定注意，絕對不再出錯！』就對小燕子屈屈膝：『格格請走前面，奴婢後面跟著！』

小燕子看了紫薇一眼，心中漲滿了喜悅，實在沒有辦法讓紫薇跟在自己身後做『奴婢』，又見紫薇若有所失，便跑過去，一把挽住紫薇的胳臂，熱情的說：

『紫薇！妳振作一點！不要失望！現在，我們兩個又在一起了，多好呀！想想看，幾個月以前，我們還什麼門路都没有，像大頭蒼蠅一樣到處亂飛，不知道要怎樣才能見著皇上！現在，我們兩個都進了宮，而且……』

紫薇被小燕子振作了，深吸口氣，接口說：

『而且，我已經見著了皇上！這才是我進宮的第一天，我居然就見著了他！』說著說著，就喜不自勝了。

小燕子因紫薇的高興而高興，跳跳蹦蹦的走著，說著：

『是啊是啊！我們已經很不容易了！這就像五阿哥說的，山路走完了有水，柳樹落了又有花……』

紫薇笑著更正：

『山窮水盡疑無路，柳暗花明又一村！』

『對對對！就是這兩句話！』拍著紫薇的肩，又笑又興奮：『我們已經走完山路，現在走水路了！妳還有什麼不開心呢？開心起來！知道不知道？』

紫薇心情已經好轉，被小燕子引得興奮起來，應道：

『是！格格！奴婢遵命！』

『妳敢這樣叫我……我呵妳癢哦！』小燕子笑著喊。

紫薇機警四望，咳了一聲：

『格格，請走好！』

小燕子趕緊收斂，放眼四望。

容嬤嬤站在迴廊下，正對三人陰沈而好奇的凝視著。

小燕子笑容僵了，拉了紫薇一下。

『我們繞路走吧！別惹這個老巫婆！』小燕子低聲說。

紫薇覺得有點不對，眼光順著小燕子的眼光看去，和容嬤嬤冷冽的眼神一接，不知怎的，竟機伶伶的打了個寒戰。

小燕子帶著紫薇和金瑣，走進漱芳齋，就興奮的大喊：

『明月！彩霞！小鄧子！小卓子！通通過來！通通過來！』

明月、彩霞、小鄧子、小卓子立刻奔了過來，屈膝的屈膝，哈腰的哈腰。

『格格吉祥！』

『我要給你們大家介紹兩個人！』小燕子喊著，就一手拉紫薇，一手拉金瑣，對四人說：

『這是紫薇，這是金瑣！對宮裡的人來說，她們兩個是我這兒新來的宮女，實際上，她們兩個是我的結拜姐妹！』

紫薇嚇了一跳，看著小燕子：

『格格！怎麼這樣說？』

小燕子對紫薇一笑。

『如果我們在漱芳齋裡，還要避這個避那個，我們就活不下去了！妳放心，他們四個，已經是我的心腹了，就像五阿哥的小桂子和小順子，大家是一條心，一條命！他們不會出賣我！』就看四人，問：『是不是？』

四個人異口同聲，有力的回答：

『是！』

小燕子又繼續交代：

『紫薇和金瑣，名義上是我的宮女，那是沒辦法的事，因爲我要她們進宮，只能這樣安排，你們給我咬緊牙根，不要胡說八道，知道嗎？如果有刀擱在你們脖子上，逼你們說，那怎麼辦？』

四個人都抬頭挺胸，豪氣干雲的嚷：

『要頭一顆，要命一條！』

紫薇和金瑣看傻了。

『既然她們是我的姐妹，那麼，是你們的什麼？』小燕子再問。

『是主子！』四個人回答。

小燕子笑了起來：

『什麼主子？教也教不會！大家是一家人！知道嗎？一家人！你們怎麼待我，就要怎麼待她們兩個，誰對她們不禮貌，就是對我不禮貌，知道嗎？』

『知道了！』大家又高聲回答。

小鄧子眼光在紫薇和金瑣臉上看來看去，恍然大悟，說：

『這就是那兩位「天仙」姑娘嘛！咱們都明白了，上次在茅屋前面，格格要咱們找的那兩個「天仙」，就是她們！沒想到，「天仙」也來了漱芳齋！咱們的「家」，就越來越大了！』

『說得好！小鄧子有賞！』小燕子興高采烈。

四人就趕快上前，對紫薇金瑣拜了下去。

『奴才／奴婢叩見天仙姑娘！』

紫薇慌忙拉起明月，金瑣就拉起彩霞。

『千萬不要這樣稱呼，更不能對我們拜來拜去！』紫薇急忙說：『我是紫薇，那是金瑣，以後，大家都稱呼名字，免得讓別人疑心！』回頭對金瑣說：『金瑣！咱們帶來的東西呢？』

金瑣打開一個隨身的小包袱，紫薇拿了兩件首飾，兩個錢袋，過來分給四人。

『一點見面禮，請大家收了！』

金瑣笑著對四人說：

『別小看那個錢袋，是咱們小姐親手做的，這些首飾，也是小姐自己戴過的東西！既然在這漱芳齋裡，不用避諱，那麼，我就得告訴你們，紫薇名義上是我的結拜姐妹，事實上，是我的主子！』

四人拿著禮物，又驚又喜，看到紫薇氣度不凡，不禁油然生敬。但是，對於這兩人的身份，實在頭昏腦脹了。

小鄧子便管他三七二十一，又拜了下去。

『謝紫薇姑娘賞賜！謝金瑣姑娘賞賜！』

其他三人立即依樣葫蘆的拜了下去。喊著：

『謝紫薇姑娘賞賜！謝金瑣姑娘賞賜！』

小燕子對紫薇一笑說：

『沒辦法，慢慢再來教他們！這主子奴才，小姐丫頭……別說他們會糊塗，連我都糊塗了！』

那天晚上，在漱芳齋，有一場『宴會』。

小燕子一定要給紫薇和金瑣接風，命令小鄧子、小卓子、明月、彩霞全體參加，反正漱芳齋沒有『主子奴婢』那一套，大家都是『一家人』。

小燕子興致勃勃，不管三七二十一，拉著七個人『聚餐』。幾杯酒一下肚，就得意忘形了。面頰紅紅的，握著酒壺，爲每一個人斟酒。興高采烈的喊：

『喝呀！大家盡興一點，好好的喝一杯！我今天太高興了，高興得快要昏掉了！自從進宮以來，今天是我最高興的一天！紫薇！喝酒喝酒，不要怕！我們已經把院子門、房門都鎖起來了，別人進不來！』

小鄧子、小卓子、明月、彩霞雖然和小燕子同桌，卻怕得要命，不住回頭觀望。

紫薇和金瑣也很不安，時時刻刻望向門口。紫薇見小燕子已有醉意，便拉拉小燕子的衣袖，警告的說：

『格格！妳收斂一點，聽說，妳這個漱芳齋，皇上隨時會來，妳喝得醉醺醺，萬一給皇上撞見，豈不是又要遭殃嗎？』

小鄧子立刻站起身來，害怕的說：

『紫薇姑娘說得對，我看，我還是去門口守著吧！有人來，我也可以通報一聲！』

小燕子篤定的說：

『坐下坐下！不要掃興嘛！皇阿瑪今天不會來我這兒了！飯前我去請安，皇阿瑪說，今晚要和兆惠將軍吃飯！兆惠將軍不知道從什麼疆回來，皇阿瑪好忙，要跟他談「邊疆」大事！所以，他們那兒麵店生薑，咱們這兒我就可以花雕陳紹了！來呀！』歡喜的一口乾了杯子，大叫：『紫薇！為了慶祝我們的團圓，喝吧！今天不醉的人是小狗！』

金瑣連忙站起身來：

『好了，小姐，妳就和格格痛痛快快的喝酒吧！妳不喝，她不會安心的！我來做小狗，幫你們守門！』

『我來做小狗吧！我守門！』小鄧子忙說。

『我也做小狗吧！』小卓子跟著說。

『我看，我跟大家一起做小狗！』明月說。

『那……我也要做小狗！』彩霞也說。

小燕子生氣，跳起來大叫：

『你們不要氣死我好不好？那有搶著當「小狗」的道理？我要那麼多小狗幹什麼？來來來，大家勇敢一點，高興一點，起勁一點！天塌下來，有我撐著！』說著，就近抓住彩霞，就端起酒杯，往她嘴裡灌去：『再不喝，算妳「抗旨」！』

彩霞不得已，咕嘟咕嘟喝下酒。

小燕子再端著一杯酒，雙手捧著，走到紫薇面前，說：

『這杯酒，我要敬妳！這些日子，我讓妳受盡委屈，讓妳傷心，讓妳難過，還差一點永遠見不到妳，我的罪過，堆得比山還高！今天，我就借這一杯酒，跟妳誠心誠意的道歉！如果妳真的原諒了我，就乾了這一杯吧！』

紫薇聽小燕子說得真誠，嘆了口氣，舉起杯子，豪氣的說：

『好了！千言萬語，盡在不言中！我乾了！』就一口喝乾了杯子。

小燕子快樂極了，簡直要乘風飛去了，對大家喊：

『都來乾一杯吧！小鄧子、小卓子、明月、彩霞……你們一個也不要逃，爲了「還珠格格」，大家乾一杯！爲了我們大家的腦袋，再乾一杯！但願「格格」不死，「腦袋」不掉！』

四人一聽，這杯酒關係大家的『腦袋』，就通通舉杯了。大聲的喊：

『祝「格格不死，腦袋不掉」！』

七個酒杯，重重一碰。

這樣一乾杯，大家就都鬆懈下來，你一杯，我一杯，逐漸放任的喝了起來。一會兒之後，桌上已經杯盤狼藉。再過一會兒，七個人全部喝得醉醺醺。小卓子趴在桌上睡著了。小鄧子滿屋子行走，嘴裡唸唸有辭，不知道在說什麼。明月摟著彩霞，兩人低低的唱著歌。

金瑣拚命維持清醒，睜大眼睛看著小燕子和紫薇。

小燕子已經大醉，抱著紫薇，一面訴說，一面掉淚：

『我算什麼嘛？義氣没義氣，勇氣没勇氣……說穿了，我就是一個騙子嘛！以前騙吃的騙喝的，還說得過去，騙妳的爹，就應該被雷劈死，被閃電打死……我壞嘛，黑心嘛……連自己的結拜妹妹我都騙，我會下地獄的……』

紫薇摟著小燕子，像個慈母般拍著，幫她擦淚，安慰著：

『噓！不要說了！玉皇大帝和閻王老爺都好忙，世界上太多的是是非非，對對錯錯，好好壞壞……他們管都管不了！輪不著妳！噓……別哭，我保證妳不會下地獄，有我守著妳呢！有我看著妳呢！』

金瑣看得好感動，不住的吸鼻子。

就在此時，窗子『格登』一響。

小鄧子驀然收住腳步，對著窗子大叫：

『什麼人？』便衝到窗前去，一開窗子。

窗外，一條黑影，晃了一晃。小鄧子大喊：

『窗外有人！』

小燕子直跳起來，酒醒了一半，淚痕未乾，就衝到窗前，嘴裡大吼：

『是那條道上的人，報上名來！』

窗外的黑影，一閃而過。

『你逃？你往那裡逃？你不知道妳姑奶奶叫做「小燕子」？』小燕子叫著，便施展輕功，對窗外竄去。

誰知，小燕子不勝酒力，這一竄，竟然將腦袋在窗櫺上撞得砰然一響，身子便重重的跌落在地，嘴裡不禁『哎喲哎喲』叫出聲。

紫薇、金瑣、明月、彩霞、小鄧子全部圍過來看小燕子。

紫薇抱著小燕子的頭，拚命揉著：

『不得了！撞出一個大包了，怎麼辦？』轉頭急喊：『金瑣！那個「跌打損傷膏」有沒有帶來？』

『好像沒有耶！』

『藥膏？我這兒有一大堆，皇上說格格容易受傷，留了各種藥膏，五阿哥又送了一大堆來，我去拿來！』明月說，就奔去拿藥。

小燕子一挺身，從紫薇懷裡坐起來，氣呼呼的，還要對窗外衝去，嘴裡怒罵：

『那個王八蛋，在外面鬼鬼祟祟？有種！你給我出來！』說著，就搖搖晃晃的，又要施展輕功，往窗外竄。

紫薇慌忙一把抱住了小燕子。

『算了算了，妳站都站不穩，怎麼追人嘛？』

『人已經跑了，追也追不上了！』金瑣也說。

小燕子仍然跳著腳罵：

『會武功？會武功有什麼了不起？半夜三更來偷看，看什麼看？欺負我這兒沒高手是不是？趕明兒我把柳青柳紅也弄進宮來，看你們還能逃到那裡去！氣死我了！』

一場宴會，就被這門外的黑影，給匆匆的結束了。

紫薇進宮的第一天，也就這樣結束了。

15

爾康自從紫薇進宮，就害起相思病來。心裡七上八下，總是懷疑自己的主意拿錯了，一天到晚，魂不守舍。雖然，永琪和爾泰都說，小燕子這兩天很乖，宮裡也沒有出什麼狀況，可是，他就是不能安心，也不能放心。早也想紫薇，晚也想紫薇。這天，再也按捺不住了，就不管合不合適，得不得體，拉著永琪爾泰，一起來到漱芳齋，探視紫薇。

紫薇看到他們，又驚又喜又緊張，問：

『你們三個人，就這樣闖來了？給人看到有關係沒有？』

『五阿哥是阿哥！在宮裡走來走去，當然沒關係，我跟五阿哥是一道的，也沒關係！就是爾康沒事往宮裡跑，有點問題！』爾泰說。

『那……爾康，你還不趕快離開！不要讓人發現了！』紫薇著急的說。

爾康盯著紫薇看，眼裡，盛載著千言萬語。

『已經冒險進來了，妳就不要擔心害怕了！就算有人看到，說是陪伴五阿哥，過來辦事，也就搪塞了！總之，皇上沒出宮，我在宮裡陪著，也還說得過去！』他上上下下的看紫薇，好像已經分別了幾百年似的。『妳怎樣？好嗎？有進展嗎？』

『我才進來幾天，談什麼進展呢？除了第一天匆匆忙忙的見了皇上一面，到現在，根本就沒有再見到過他！』

『大家長話短說！說完了就走！咱們三個這樣出現在漱芳齋，實在有點引人注意！』永琪說，看著小燕子的額頭：『怎麼腫個大包？又跟人動手了嗎？』

一句話提醒了小燕子，就急急的說：

『你們三個臭皮匠，趕快再想個辦法，給我找幾個武功高手來！要不然，你們去找柳青柳紅，把他們弄進宮裡來，做我的侍衛！』

永琪睜大眼睛：

『妳這真是異想天開！剛剛把紫薇金瑣弄進來，已經好不容易，妳還想把柳青柳紅弄進來！』

『等到柳青柳紅進來之後，妳大概就想把什麼小豆子、小虎子、寶丫頭……通通弄進來，妳預備把整個大雜院搬進皇宮，是不是？』爾泰問。

『可是我這漱芳齋晚上會鬧賊！半夜三更，還有夜行人來偷看！我的武功，越來越退步，翻個窗子，都會撞到頭！』

『那是因爲妳喝醉了！』紫薇說。

爾康、永琪、爾泰大驚。

『有人偷看？什麼人？你們有沒有注意？小鄧子、小卓子他們怎麼不在外面守衛？』

金瑣給每個人倒了茶過來。就接口說：

『小鄧子、小卓子都喝醉了！那晚，小燕子一定要給我們接風，大家都醉了！』

三個男人全部變色。

爾康就往前一邁，對小燕子急促的，命令的說：

『妳不要太任性了，不管心裡怎麼高興，都不可以全體的人喝醉酒！妳好歹要讓小鄧子、小卓子保持清醒……不不！不止小鄧子、小卓子，你們誰都不可以喝醉！這個宮廷之中，敵人到處都是！防不勝防！妳們兩個都有任務在身，不是進宮來玩的！這大局一天不定，妳們兩個都有危險！怎麼一點警戒心都沒有呢？』

『好了好了！你別訓我，人，總有忍不住的時候嘛！你還不是一樣，明知道跑到漱芳齋來不妥當，你還不是進來了？』小燕子不高興的說。

爾康一怔，爾泰便急急的把爾康推到紫薇身前。

『小燕子說得有理！你有話快說，如果要我們迴避，我們大家就迴避！』

紫薇臉一紅，還沒說什麼，忽然，外面傳來小順子和小桂子的急呼：

『皇后娘娘駕到！』

接著，是小鄧子和小卓子的急呼：

『皇后娘娘駕到！』

接著，又是明月、彩霞的急呼：

『皇后娘娘駕到！』

室內眾人，全部嚇了一大跳，還來不及交換任何訊息，皇后已經大步走入，後面跟著容嬤嬤、宮女、賽威、賽廣和太監們一大群人。

一屋子人趕快行禮的行禮，請安的請安。紫薇和金瑣急忙匍匐於地，喊著：

『奴婢紫薇／金瑣叩見皇后娘娘，恭祝娘娘千歲千千歲！』

皇后的頭，高高的昂著，眼光威嚴而凌厲的環室一掃，挑了挑眉毛說：

『小燕子！妳這漱芳齋可真熱鬧，外面奴才站了一院子，裡面主子站了一屋子！五阿哥和福家兩位少爺都在，真是盛會！喲！這兒還有兩張生面孔，想必就是令妃娘娘賜給妳的宮女了！』就看著紫薇金瑣，命令的說：『抬起頭來給我瞧瞧！』

紫薇、金瑣就抬起頭來。

皇后來，就是衝著紫薇和金瑣來的。聽說漱芳齋又來了新的宮女，而且是『令妃賞賜』，心裡就是一肚子氣，又有一肚子的懷疑。一個不學無術的小燕子，到底需要多少奴才？令妃和小燕子，到底在搞些什麼把戲？她有意要看看兩個新人，是何方神聖？所以，當紫薇和金瑣抬頭，她就認真的，仔細的看二人，好像要在兩人的臉上挖掘出什麼祕密似的。好標緻的丫頭！皇后看得納悶，滿屋子的人也被皇后的眼光，弄得惴惴不安起來。

『妳剛剛說妳叫什麼名字？』皇后問紫薇。

『紫薇，就是紫薇花那個紫薇！』紫薇戰戰兢兢的回答，難免緊張。

皇后下巴一抬，可逮著機會了，就大喊：

『容嬤嬤！給我教訓她！居然不說「奴婢」，簡直反了！』

容嬤嬤立刻上前，劈手給了紫薇重重的一耳光。

滿屋的人全部驚跳起來。爾康幾乎衝了出去，被爾泰機警的一把抓住。可是，爾泰顧到了爾康，就沒顧到小燕子，小燕子直衝上前，大嚷：

『容嬤嬤！妳敢！』

容嬤嬤舊恨新仇一起算，得意的說：

『我幫皇后娘娘教訓奴才！有什麼不敢？』

皇后厲聲說：

『容嬤嬤！再教訓她！』

『遵命！』

容嬤嬤大聲應著，竟左右開弓，對著紫薇的臉，熟練而迅速的連續開打。

爾康又氣又急又心痛，臉色都白了，渾身發抖。爾泰死命拉住他，對他制止的搖頭，他眼睜睜的看著紫薇挨打，竟然一籌莫展。

金瑣還不知道宮裡的規矩和厲害，急喊了一聲，什麼都顧不得了，撲上去，用身子擋著紫薇，喊：

『打我！打我！我來代替她受罰！』

『容嬤嬤！兩個一起打！』皇后怒喊。

容嬤嬤便抓著金瑣的頭髮，一陣噼哩叭啦，耳光清脆的響著。

『誰敢打她們！容嬤嬤！我要妳的命……』

小燕子嘴裡喊著，身子就箭一般往前衝去，賽威賽廣一攔，她就像撞到了銅牆鐵壁，震開好幾步。小燕子大怒，飛撲上去，動手就打，賽威一伸手，小燕子那是對手，被賽威一摺，身子像斷線風箏一般飛跌出去。永琪再也忍不住了，飛身一躍，接住小燕子，氣得臉色發青。大吼：

『反了嗎？敢對格格動手！』

同時間，爾康也什麼都顧不得了，掙開了爾泰，他飛竄上前，左打賽威，右打賽廣，一陣連環踢，把賽威賽廣踹了開去。賽威賽廣見是爾康，不敢還手，被打得毫無招架之力。爾康一面打，一面怒喊：

『賽威賽廣！你們好歹是我的手下，不要命了嗎？誰敢再動手，我把他交到大內監牢去！』

賽威賽廣嚇住了，震住了，連連後退。

皇后走到爾康面前，昂著頭說：

『福大人，你是不是要把我也送到大內監牢去？』

爾康吸了口氣，面色慘然的躬身，說：

『臣不敢！請皇后娘娘看在五阿哥面子上，再鬧下去誰都不好看，請手下留情！』

永琪也急忙往前，說：

『皇額娘！這漱芳齋是皇阿瑪最喜歡的地方，皇額娘不看僧面看佛面，手下留情！』

『留什麼情？這還珠格格有聖旨，可以不守規矩，難道奴才也有嗎？我就教訓了她們，你們預備怎樣？』皇后回頭喊：『翠環、佩玉……妳們也上去！幫容嬤嬤教訓這兩個丫頭！』

宮女便應著『喳』，上前幫忙容嬤嬤，分別抓住紫薇、金瑣，容嬤嬤揚起手來，又要對兩人打去。

爾康飛快的衝過去，人已經切入容嬤嬤和紫薇之間，伸手一揮一舞，兩個宮女飛跌出去。容嬤嬤眼睛一花，已經被震倒在地。一時之間，哎喲哎喲之聲不斷，屋子裡摔的摔，跌的跌，亂成一團。

皇后氣得快瘋了，怒喊：

『賽威！賽廣！你們是死人嗎？』

爾泰和永琪對看一眼，見鬧成這樣，就都豁出去了。兩人同時邁步，一個攔住賽威，一個攔住賽廣。永琪就高高的昂著頭，語氣鏗然的說道：

『皇額娘！兒臣斗膽，請皇額娘高抬貴手！今天，兒臣在漱芳齋，就不允許任何人在這兒動手！如果要動手，無論是誰，都得先把我撂倒再說！』

永琪氣勢凜然，不可侵犯。容嬤嬤、宮女、賽威、賽廣全都震懾住了。

皇后氣得臉色鐵青，話都說不出來。

紫薇見場面弄得如此不可收拾，心驚膽戰，又怕連累到爾康爾泰和永琪，急得五內如焚。便膝行到皇后面前，磕下頭去。

『皇后娘娘請息怒，奴婢罪該萬死，讓娘娘生氣！奴婢甘願受罰，請娘娘饒恕大家！』說完，就自己掌嘴。

金瑣大驚，也爬行過來，哭著說：

『皇后娘娘！請罰金瑣，饒了紫薇！』說著，也自己掌嘴。

這時，小鄧子、小卓子、小順子、小桂子、明月、彩霞全都湧進，跪了一地。

『皇后娘娘！奴才們願意代她們兩個受罰！』六個人便噼哩叭啦，自打耳光。

皇后看著跪了一地的奴才，如此護著紫薇金瑣，心中實在震撼。見大家紛紛自打耳光，總算面子有了，就乘機下台，說：

『好了！不用打了！』

大家停手。

皇后掃了爾康、爾泰、和永琪一眼，眼神陰沈而凌厲，義正詞嚴的說：

『國有國法，家有家規！今天我管奴才，用的是「家規」！這整個皇宮，還沒聽說過，我不能教訓奴才！今天看在五阿哥面上，我就算了！大家也都收斂一點吧，這漱芳齋是宮闈重地，不是酒樓！身爲阿哥和臣子，也該自己有個分寸！』

『皇額娘教訓得是！』永琪忍氣吞聲的說。

『謹遵皇后娘娘教誨！』爾泰也應著。

唯有爾康，臉色蒼白，咬牙切齒，一語不發。

皇后就一揮手說：

『容嬤嬤！咱們走！』

皇后帶著衆人，昂著頭，威風凜凜的走了。

皇后一走，大家就紛紛從地上跳了起來。明月和彩霞，急急忙忙端了一盆水來，絞了帕子，來給紫薇和金瑣摀著臉。小燕子也來幫忙，一面給紫薇敷臉，一面說：

『拿冷帕子這樣冰著，比較不疼！而且可以消腫！明月彩霞她們都有經驗，我幫妳弄！』

紫薇推開小燕子忙碌的手。

『算了！算了！沒有關係！』她著急的看著爾康等三人：『你們怎麼還不走？』

爾康竄上前去，拉著紫薇就向外走。

『走！我們一起走！我這個豬腦袋想出來的笨主意！我恨不得把自己給殺了！走！我們這就出宮去，什麼都不要了！天涯海角，難道還沒有我們兩個容身之地嗎？』

『爾康！你理智一點！』永琪一攔。

『我不要理智！我就是太理智了，才會把紫薇和金瑣陷入困境，我要把她們救出去！我什麼都不管了！』爾康紅著眼說。

爾泰跺腳，攔住爾康：

『哥！你不要碰到紫薇的事，就陣腳大亂！你什麼都不管，你怎麼能什麼都不管！阿瑪跟額娘你要不要管？五阿哥你要不要管？小燕子你要不要管？令妃娘娘你要不要管？』

紫薇死命掙脫了爾康，眼淚滾了下來：

『我不跟你走！我好不容易進宮來了，好不容易見著了皇上，你現在用一百二十匹馬來拖我，也沒辦法把我拖出宮去！』眼淚汪汪的看著爾康：『你快走，不要管我了，我不痛，真的！挨兩下打，沒有關係！我以後會很小心，不會說錯話！』

『妳還不瞭解嗎？皇后想打的不是妳，是小燕子！她不敢打小燕子，就打妳！妳無論怎麼講話，她都可以挑妳的錯！』爾康喊。

『那也阻止不了我要留下的決心！』紫薇哀求的看著爾康：『我才進來幾天，什麼狀況都沒摸清楚，要見的人，要說的話，要做的事……一件都沒有完成，你要我現在放棄，我死也不甘！你那麼瞭解我，才把我送進來，怎麼不成全我呢？』

小燕子氣得胃都痛了，用手揉著胃，手裡拿著濕帕子，滿屋子亂轉。

『爾康！你不要婆婆媽媽了！今天的仇，我記下了！總有一天，我會跟她們算總帳！你儘管把紫薇交給我，我來保護她！』小燕子氣沖沖的叫。

『就是交給妳，我才心驚膽戰！妳連自己都保護不了，怎麼保護她？』

永琪對大家喊：

『大家都冷靜一下好不好？』

大家安靜了片刻。永琪就對爾康正色說：

『不要再說帶走紫薇的話，人，是你額娘送進來的，要帶走，也得讓你額娘來帶！現在這樣走，等於全盤皆輸，你服嗎？』

爾康冷靜下來了，深思著。永琪急急的說：

『不要感情用事了！棋，已經走到這一步，沒辦法後悔了！現在，最重要的，還是眼前的事！皇后看到我們三個在這兒，已經滿肚子懷疑了，又鬧得這麼嚴重，紫薇和金瑣雖然吃了虧，她也吃了虧！她會干休嗎？剛剛，已經對我們話裡藏刀，現在，會不會跑到皇上面前去說一些不乾不淨的話？咱們在宮內這樣大打出手，對方又是皇后，可是犯了大忌啊！一個「忤逆」罪，大家就吃不了兜著走！』

紫薇一聽，更是心驚膽戰。

『那要怎麼辦？』

小燕子往門外就跑：

『我先去跟皇阿瑪告狀！就說皇后娘娘來我這兒殺人放火！打我的人，安心要我活不成！』

爾康一把拉住小燕子，被永琪點醒了，理智也恢復了。

『妳不要毛毛躁躁，這樣不行！』想了想，點頭說：『不是妳去！應該我們三個去！』

乾隆正在御書房批奏章，永琪、爾康、爾泰三個，氣極敗壞的進來了。

永琪一進門就急切的嚷著：

『皇阿瑪！兒臣先跟您請罪！剛剛咱們三個，大鬧漱芳齋，跟賽威賽廣動了手，氣走了皇額娘……』

乾隆驚愕極了。

『永琪，你慢一點，到底是怎麼回事？爾康！你說！』

爾康就急急稟告：

『皇上！剛剛我們三人，正和還珠格格研究邊疆問題，皇后娘娘忽然帶著容嬤嬤、侍衛、宮女……浩浩蕩蕩到了漱芳齋，才說了兩句話，皇后娘娘就命令容嬤嬤打人。是臣一時按捺不住，沒有時間深思熟慮，唯恐還珠格格吃虧，只有下手維護！』

乾隆大震。

『怎麼？皇后又去漱芳齋找小燕子的麻煩了？小燕子挨打了嗎？』

『打的不是格格，是令妃娘娘賞賜的兩個宮女！可是，格格氣得發狂了，完全失去理智了……』爾泰說。

『朕聽得糊裡糊塗，到底是怎麼回事？』

永琪就急如星火的喊：

『皇阿瑪！事情經過，讓兒臣再慢慢稟告！總之，就是容嬤嬤打了新來的紫薇金瑣，皇阿瑪也知道，小燕子那個脾氣，是最重義氣，最愛護奴才的！打她還好，打了她手下的人，比打她還嚴重！她一氣，就無法控制了！現在，正在漱芳齋發瘋呢……』

『發瘋？什麼叫發瘋？』乾隆大驚，跳起身子：『朕自己去看！』

乾隆帶著爾康他們三個趕到的時候，看到的是一個驚人的場面。

只見一條白綾，高高的掛在屋樑上，下面凳子疊凳子，架得好高。小燕子爬在凳子頂端，正要把頭往白綾圈圈裡套去。臉上，一臉慘烈，嘴裡，激烈的喊著：

『士可殺不可辱！被人這樣欺負，不如死掉算了！』

凳子下面，小桂子、小卓子、小順子、小鄧子全部嚇得魂飛魄散，繞著凳子尖叫。大家各喊各的，吼聲震天：

『格格！不可以！千萬不可以！格格冷靜呀，命只有一條呀……』

明月和彩霞嚇得發抖，跪在地上磕頭，哭喊：

『格格！下來呀！求求妳下來吧！』

『格格，我給您磕頭！您要保重呀，這種玩笑開不得呀！』

紫薇、金瑣抬頭，仰望著高高在上，搖搖欲墜的小燕子，也不禁心驚膽戰。紫薇哀求的喊著：

『妳下來吧！不要這樣嘛！我看起來好可怕！』

『小心小心啊……不要把頭伸進去呀……一伸進去就真的完了！』金瑣也喊。

大家各喊各的，一片混亂。小燕子卻怒喊不停：

『你們誰都別勸我，士可殺不可辱！我氣死了，不要活了……』

小燕子一面尖叫，一面眼觀四方。

乾隆急急的衝了進來，小燕子的聲音立刻高了八度：

『紫薇！我死了，妳幫我收屍，帶我回濟南，葬到我娘的墳邊，給我立一塊墓碑，上面寫「還珠格格冤死之墓」……我走了！大家再見！』

乾隆一見這等景象，驚得目瞪口呆。急喊：

『小燕子！妳這是幹什麼？妳下來！這是聖旨！』

小燕子悲聲喊：

『皇阿瑪！小燕子跟您永別了！那個……士可殺不可辱，小燕子變成鬼，還是會孝敬您的！』

小燕子說完，眼睛一閉，頭伸進白綾圈圈，腳下一踢。凳子乒乒乓乓摔倒。

底下衆人的聲音吼成一片，有的叫『格格』，有的叫『小燕子』，有的叫天，有的叫地，有的叫菩薩。

『爾康！永琪！你們還不上去救她……』乾隆大喊。

誰知，那白綾的結根本是虛打的，那裡套得住小燕子，乍然鬆開。

乾隆話未說完，小燕子卻從空中直溜溜的掉下來了。正好掉在乾隆腳前。

乾隆驚愕，眼睛從上面移到下面，瞪著小燕子。

小燕子一躍而起，嘴裡怒罵著：

『什麼都跟我作對，連個白綾都跟我作對！』

小燕子一面喊，一面撈起白綾，奔到另一根屋樑下，搬凳子，架凳子，躍上凳子，拋白綾，打結……

乾隆看出苗頭不大對，怒喊：

『小燕子！妳在胡鬧什麼？』就對爾康等人一瞪眼：『你們由著她胡鬧嗎？趕快把她給捉下來！』

『臣遵旨！』

爾康和爾泰便飛躍上去，把小燕子拉下了地。

乾隆往小燕子面前一站，生氣的瞪著她：

『妳這是怎麼了？妳到底有完沒完？妳要氣死朕嗎？只有那些沒教養的小女子，才鬧這手

「一哭二餓三上吊」！妳什麼不好學，居然學這個！一點出息都沒有！』

小燕子往乾隆面前一跪，說：

『我本來就是「沒教養的小女子」，改也改不好！皇后想盡辦法要殺了我，我幫她處理了，讓您少費心！』

『妳跟皇后又怎麼了？她打了妳兩個宮女，又沒打妳，妳也要氣成這樣？』

這一下，小燕子不是做戲了，真情流露，痛喊出聲：

『皇阿瑪！宮女也是人，宮女也有爹有娘，爹會疼，娘會愛呀！她的娘雖然死了，她還有爹……她的親爹如果知道她被人打成這樣，一定會心痛死的！』說著，爬起身子，把紫薇拉到乾隆面前來：『紫薇，抬起頭來，讓皇阿瑪看看妳的臉！』

紫薇萬萬料不到小燕子會這樣把她拉到乾隆面前，跪在那兒，又是激動，又是傷心，再加上臉上有傷，心裡更是難過，覺得不能給乾隆一個最完美的印象。所以，抬著頭，兩行熱淚，就沿頰滾落。

爾康、爾泰、永琪都沒有料到小燕子這一招，三人十分震動與期待的觀望著。

金瑣更是激動，目不轉睛的看著這父女的相會。

紫薇磕下頭去，聲音顫抖著：

『奴婢紫薇叩見皇上！』再抬頭痴痴看著乾隆。

乾隆見紫薇眼中，盛滿千言萬語，兩頰腫脹，熱淚雙行，說不出來的楚楚動人，不禁一怔，沒來由的被深深撼動了。

『妳是紫……紫什麼？』乾隆怔怔的問。

『奴婢名叫紫薇。奴婢出生在紫薇花盛開的季節，所以取名叫紫薇。』

『嗯。好名字！挺容易記的！』低頭看看紫薇的臉：『讓她們給妳擦點藥！』

乾隆這樣一點點關心，已經讓紫薇感動得一塌糊塗，哽咽說：

『有皇上這樣一句話，不用上藥了！奴……奴婢謝皇上恩典！』

乾隆心中一熱，有股奇異的悸動，就柔聲說：

『宮裡規矩多，受點委屈，也是難免。皇后的脾氣不好，打妳們兩下，只好認了！平常要勸著格格，不要再火上加油，知道嗎？』

紫薇柔順的答道：

『奴……奴婢知道。皇后教訓奴婢，也是奴婢的福氣，不敢抱怨，不敢委屈。格格厚愛奴婢，才引起這樣一場大亂，奴婢知罪了！以後，一定勸著格格，不再和皇后娘娘衝突！』

乾隆忍不住仔細看紫薇：

『嗯！腦筋清楚，是個懂事的……怪不得格格寵妳！』便振作了一下，說：『妳們都起來吧！』

小燕子看了紫薇一眼，起身。

紫薇再磕了一個頭，也起身。

乾隆就正視著小燕子，說：

『好了！事情過去了，妳不許再胡鬧了！以後，皇后找妳麻煩，妳也機靈一點，不要硬碰硬！嘴巴甜一點，態度好一點，能夠「化戾氣爲祥和」，不是皆大歡喜嗎？妳是聰明孩子，怎麼不懂呢？』

小燕子一聽，大驚失色，抗議的大聲說：

『皇阿瑪！你不要太狠心！那個「力氣」怎麼能化成「漿糊」呢？我每次見到皇后娘娘，就要倒楣，不是這兒傷，就是那兒痛，再把「力氣」化成「漿糊」，我就升天了！』

爾康、爾泰、永琪你看我，我看你，拚命憋著笑，快要憋死了。

紫薇臉上淚痕未乾，眼中已閃著笑意。

乾隆怔了怔，又好氣又好笑，抬眼去看永琪。

『永琪，你跟小燕子常在一起，朕要問問你，她是不是每次說話都這樣顛三倒四？朕說東，她說西，朕說上天，她說下地，但是接嘴接得個快，也不知道她是真的還是假的？她跟你們在一起的時候，也是這樣嗎？』

『回皇阿瑪，我們跟小燕子說話的時候，會遷就她的語言！』永琪忍笑回答。

『原來如此！』乾隆笑笑，點點頭，看看小燕子，忽然回頭，對三人瞪圓了眼睛：『那麼，是誰教她說「士可殺不可辱」這句話的？這不是她的語言吧！』

三人一呆，面面相覷。沒想到演了半天戲，栽在一句台詞上！

『還不快說實話！』乾隆喊。

爾康一嘆，上前說：

『皇上聖明！什麼都瞞不過皇上！』

乾隆對幾個人看來看去，明白了。

『好！你們氣走了皇后，跟她的人動手，還惡人先告狀，把朕引到這兒來看小燕子演戲，是不是？』

永琪對乾隆心服口服，坦白的說了：

『皇阿瑪別生氣，如果我們不告狀，皇額娘一定先告狀，而且會說得很難聽，我們走投無路，別無選擇！』

『皇上！這都是臣出的主意，請不要怪罪五阿哥！』爾康急忙請罪。

『皇上英明！這都是我的主意，跟五阿哥和爾康沒有關係！』爾泰搶著說。

小燕子挺身而出：

『皇阿瑪！不是的！他們都是要保護我，所有壞點子，當然是我出的！一人做事一人當！我才不要他們幫我擔罪名！』

乾隆呆了呆，看著大家，瞪大眼睛，罵著說：

『你們串通一氣，聯手做戲！這樣大膽！這樣放肆！連朕都敢騙！不怕朕摘了你們的腦袋嗎？但是……哈哈！』再想想，忍不住大笑了：『你們演得這麼逼真，這麼賣力，大概也是情迫無奈吧！看在兩個宮女受傷的份上，朕只好化「力氣」爲「漿糊」，就饒了你們這一次！但是，下不爲例！』

小燕子噗通跪落地。高喊：

『皇阿瑪萬歲萬萬歲！』

一屋子的人便全體跪落地，齊聲喊：

『皇上萬歲萬萬歲！』

乾隆被大家喊得心裡熱烘烘，可是，覺得小燕子實在太過分了，就對小燕子嚴厲的說：

『妳不要以爲對朕喊一句萬歲萬萬歲，朕就會不罰妳！妳這樣又上吊又發瘋的亂鬧，讓大家陪著妳撒謊，簡直無法無天！朕看妳的學問一點進步也沒有，壞點子倒有一大堆！書房也白去了！朕罰妳把〈禮運大同篇〉寫一百遍！三天之內，交給朕看！而且要把它講解出來給朕聽！如果妳做不到，朕會再打妳二十大板！君無戲言！』

小燕子臉色慘變。

『皇阿瑪！您不是說饒了我們嗎？』

『別人能饒，妳不能饒！妳「化力氣爲漿糊」，絕不能饒！』

『但是……但是……這個「搬運大桶什麼篇」是什麼東西？』

『三天之後，妳告訴朕，那是什麼東西？』

小燕子呆了。

紫薇看著這個明察秋毫，又恩威並用的乾隆，不禁又是佩服，又是景仰，又是崇拜，又是依戀……各種複雜的情緒，把她那顆充滿孺慕之情的心，漲得滿滿的了。

16

接下來的三天，小燕子、紫薇、爾康、爾泰、永琪全部都在趕工，抄寫〈禮運大同篇〉。乾隆的『一百篇』，把大家忙壞了。連金瑣、明月、彩霞這些會寫字的丫頭，都被抓來幫忙。深更半夜，漱芳齋燈火通明，人人在寫〈禮運大同篇〉。

可是，這些丫頭寫得實在太糟了。紫薇檢查大家的成績，真是不忍卒睹。

『明月，妳不用寫了！』紫薇嘆口氣。

『阿彌陀佛！』明月喊。

『彩霞，妳也不用寫了！』紫薇又說。

『謝天謝地！』彩霞喊。

『金瑣，我看，妳也算了！不用寫了！』

『我去給妳們做消夜、包餃子去！』金瑣如獲大赦，逃之夭夭了。

小燕子立刻停筆，滿臉期待的看著紫薇說：

『妳看我寫的這個，大概也過不了關，我覺得，我也不用寫了！』

紫薇拿起小燕子那張『鬼畫符』，認真的看了看。

『不行！隨便妳寫得多爛，妳得寫下去！皇上只要看了我們的字，就知道妳有幫手！他會問妳，那一張是妳寫的！妳非多寫一點不可，妳的「真跡」越多，過關的希望就越大！趕快振作一點！寫！寫！寫！』

『啊？非寫不可啊？』小燕子臉拉得比馬還長。

『非寫不可！』

『這個「魚家瓢蟲」怎麼那麼多筆畫？』

『什麼「魚家瓢蟲」？』紫薇聽得一頭霧水，伸頭一看，不禁叫了起來：『那是「鰥寡孤獨」！我的天啊！』

『妳別叫天了！這些字，我認得的沒幾個！是誰那麼無聊，寫這些莫名其妙的話，讓人傷腦筋，作苦工！寫這個一百遍，能當飯吃嗎？能長肉嗎？能治病嗎？真是奇怪！』小燕子說著說著，一不小心，一大團墨點掉在紙上。『哎呀！這怎麼辦？』

紫薇看看，把那張拿過來，撕了。

『喂喂，我寫了好半天的！』小燕子急搶。

『弄髒了，就只有重寫！』再拿起小燕子寫的另一張，看看，又撕了。

『妳怎麼把我寫的，都撕了呢？我一直寫，妳一直撕，我寫到明年，也寫不了一百張！』小燕子大急。

『那張實在寫得太難看，皇上看了一定會生氣，只有重寫！』說著，又看一張。

『妳別撕！妳別撕……』小燕子緊張兮兮的喊。

話没說完，紫薇又撕掉了。

小燕子大爲生氣，嚷著：

『妳怎麼回事嘛？妳的字漂亮，我的字就是醜嘛！妳拚命撕，我還是醜醜醜！』

『妳醜醜醜，妳就得寫寫寫！妳快一點吧，再不寫，就來不及了！』

小燕子一氣，伸腳對桌子踹去，嘴裡大罵：

『什麼玩意嘛！哎喲！』沒料到，踢到桌腳，踢翻了趾甲蓋，痛得跳了起來。

『妳怎麼啦？』

小燕子苦著臉，抱著腳，滿屋子跳。

小燕子交卷的時候，腳還是一跛一跛的。

『皇阿瑪！我來交卷了！』

乾隆抬頭，驚愕的看著小燕子。

『妳的腳怎麼啦？』

『我好慘啊！』小燕子哀聲的說：『早知道，給您打二十大板算了！畢竟，二十大板噼哩叭啦一下子就打完了，只有一個地方會痛！這個字，寫了我三天三夜，寫得手痛頭痛眼睛痛背痛，最糟糕的還是腳痛，痛得不得了！痛成這樣子，還是寫得亂七八糟，我管保，您看了還是會生氣！』

『妳寫字，怎麼會寫到腳痛的呢？』乾隆驚訝極了。

『因為一直寫不好，紫薇說，這張也不能通過，那張也不能通過，拚命叫我重寫，我一生氣，用力踹了桌子一下，沒想到，桌子那麼硬！把腳趾甲都踹翻了！』

乾隆瞪著小燕子，見小燕子說得淒淒涼涼，誠誠懇懇，真是啼笑皆非。

『拿來！給朕看看！』乾隆伸手。

小燕子便做賊心虛的，膽怯的把作業呈上。

乾隆一張張的翻看著。只見那一張一張〈禮運大同篇〉，有各種各樣的字體。有的娟秀，有的挺拔，有的瀟灑，有的工整……只是，最多的一種，是『力透紙背，墨汁淋漓，忽大忽小，不知所云』的那種。乾隆心裡有數，越看，臉色越沈重。

小燕子看著乾隆的表情，就知道不妙，一副準備被宰割的樣子。

『妳有多少人幫忙？老實告訴朕！』乾隆頭也不抬的問。

『能幫忙的，都幫忙了！可以說是「全體總動員」了！爾康、爾泰、永琪都有。連明月、彩霞、金瑣都被抓來幫忙，可是，她們實在寫得太爛，紫薇說不能用！』小燕子倒答得坦白。

『那些是妳寫的？』

『不像字的那些，就是我寫的！像字的，漂亮的，乾淨的……都不是我寫的！』

乾隆抬眼盯著小燕子：

『妳倒爽快！答得坦白！』

『皇阿瑪那麼聰明，我遮掩也沒用！紫薇說，只要皇阿瑪一看，就知道我有幫手，逃都逃不掉，叫我不要撒謊！』

『哦？妳不止有幫手，原來妳還有軍師！』乾隆看到一疊作業中，屢屢出現一種特別娟秀的字跡，不禁注意起來，抽出那張，問：『這是誰寫的？』

『紫薇！』

乾隆一楞，仔細的看看那張字，沈吟。

『就是那天被打的紫薇？』

『是！』

乾隆有點詫異，但，隨即擱下，抬頭嚴肅的看小燕子，聲音驀的抬高了：

『爲什麼找人代寫？朕說過妳可以找人幫忙嗎？』

『可是……可是……您也沒說不可以啊！您要我寫這個一百遍，我覺得還是打二十大板來得乾脆！』小燕子鼓勇說。

『好！現在妳告訴朕，妳寫了這麼多遍，它到底在說什麼？』

小燕子深呼吸了一下，在肚子裡默唸了幾遍，正色說：

『這禮運大同篇，是孔子對這個社會的一種理想境界，它的意思是說，天下是大家的，只要選出好的官員，大家和和氣氣，每個人能把別人的父母當成自己的父母，別人的兒女當成自己的兒女，讓老人啦，孩子啦，孤兒寡婦都有人照顧！不要貪財，不要自私，那麼，我們睡覺的時候可以不要關門，陰謀詭計都沒有了，土匪强盜也都沒有了！這個世界就完美了！』一口氣說完，吸口氣，看著乾隆。

乾隆簡直不相信自己的耳朵，瞪大眼睛看著小燕子，驚奇不已。

『是誰教妳的？紀師傅嗎？』

『是紫薇啦！』小燕子笑了：『她說，講得太複雜，我也記不清楚，這樣就可以了！』

乾隆驚愕，這已是小燕子第五次提到『紫薇』的名字，他不能不注意了。

『這個紫薇，她唸過書啊？』

『當然啊！唸書、作詩、寫字、畫畫、彈琴、唱歌、下棋……她什麼都會，就是不會武功！』小燕子兩眼發光，真心真意的，崇拜的說。

乾隆聽到有這樣的女子，感到非常好奇。可是，小燕子的話，不能深信。他想了想，對小燕子瞪瞪眼睛。

『好了！算妳運氣！字雖然寫得亂七八糟，講解得還不錯，朕就饒了妳！以後，妳再胡鬧，朕還會罰妳寫字！下次罰的時候，不許有人幫忙，全體要妳自己來！』

小燕子呆了呆，嘆了一口長氣。

『這下我完了！希望孔老先生不要再折騰我，少說點話，少寫點文章，使小燕子手也不痛，頭也不痛，眼耳口鼻都不痛，是謂大同！』

『妳在嘰哩咕嚕，唸什麼經？』

『回皇阿瑪！沒有唸經，只因爲寫了太多遍〈禮運大同篇〉，說話都有一點「禮運大同式」！夜裡睡覺，夢裡都是「天下爲公」「是謂大同」！』

乾隆失笑了，覺得終於找到治小燕子的辦法了，有些得意起來。

乾隆真正注意到紫薇，還是因爲皇后的緣故。皇后對那個漱芳齋，似乎興趣大得很，對於管教小燕子，更是興趣濃得很。在乾隆面前，說東說西，每次都帶著火氣。

『皇上！這個小燕子，如果您再不管教，一定會出大事的！』

『妳跟小燕子的衝突，真是永不結束啊？這宮裡嬪妃那麼多，每個都稱讚小燕子，爲什麼妳一定要跟她作對呢？』乾隆皺眉。

『我不是和她作對，而是必須讓後宮乾乾淨淨啊！』

『乾乾淨淨？這是什麼意思？』

『皇上！您難道沒有聽到，宮女們，嬪妃們，都在竊竊私語嗎？』

『私語什麼？』乾隆困惑。

『大家都說，小燕子和五阿哥之間，有些曖昧！』

乾隆一震，這句話聽進去了，眼神立刻注意起來。

『怎麼會有這種不堪入耳的話傳出來？是誰在造謠言？』

皇后深深凝視乾隆：

『恐怕不是謠言吧！臣妾那天，親眼目睹，五阿哥、爾康、爾泰都在漱芳齋，一屋子男男女女，毫不避嫌！聽說，那漱芳齋夜夜笙歌，常常主子奴才，醉成一片！』

『有這等事？』乾隆心中，浮起了陰影。

『臣妾絕對不敢造謠！想這後宮，本來就是臣妾的責任！如果出了什麼不名譽的事，會讓整個皇室蒙羞！皇上不能不察！』

『朕知道了！』乾隆不耐的說。

皇后還想說什麼，乾隆一攔。

『朕知道妳爲了後宮的清譽，非常操勞！朕勸妳也休息休息，不要太累了！有些事，只要不傷大雅，讓它去吧！像是前幾天，妳在漱芳齋，教訓了兩個奴才！其實，奴才犯錯，要打要罵，都沒什麼關係，可是，那兩個丫頭，偏偏是令妃賞賜給小燕子的！妳這樣一打，豈不是又挑明了和令妃不對嗎？』

皇后一聽，才知道小燕子已經先告了狀，而乾隆卻一面倒的偏向小燕子，不禁怒不可遏。

『原來皇上都知道了！那麼，皇上也知道爾康、爾泰、和五阿哥動手的事了！』

『不錯，朕都知道了！朕已經告誡過永琪和福家兄弟，也懲罰過小燕子了！這件事，就到此爲止！朕想，小燕子心無城府，雖然行爲有些離譜，心地卻光明磊落！後宮那些三姑六婆，一天到晚無所事事，就喜歡搬弄是非！妳聽在耳裡，放在心裡，也不必太認真了！』

皇后氣壞了，張口結舌。

乾隆看看她，想想，又說：

『朕也知道，爾康爾泰和永琪，情同手足，這是永琪的福氣！他們和小燕子感情好，又是小燕子的福氣！朕不願用很多教條，很多無中生有的罪名，把這種福氣給打斷了！小燕子的操守，朕信得過！永琪，朕也信得過！至於爾康爾泰，更是百裡挑一的人才！小燕子真和他們走得近，朕便把她指給他們兄弟之一！不過，朕還想多留小燕子兩年，所以，走著瞧吧！』

皇后忍無可忍的抬高了聲音：

『皇上！你如此偏袒，只怕後宮之中，會被他們弄得烏煙瘴氣！來日大禍，恐怕就逃不掉了！』

乾隆大怒，一拍桌子：

『放肆！妳會不會講一點好聽的！』

『自古忠言逆耳！這個小燕子，來歷不明，粗俗不堪！沒有一個地方像皇上，明明是個假「格格」，整個故事，大概都有高人在幕後捏造導演！皇上，你如此英明，怎麼偏偏對這件事，執迷不悟呢？』皇后越說，聲音越大。

乾隆怒極，臉色鐵青。重重的一甩袖子。喝道：

『住口！朕不要再聽妳的「忠言」了！「幕後高人」，妳是指誰？令妃嗎？妳心胸狹窄，含血噴人，還跟朕說什麼「忠言逆耳」！妳身爲皇后，既不能容忍其他妃嬪，又不能容忍小燕子，連五阿哥和爾康爾泰，妳也懷著猜忌！什麼叫高貴典雅，與世無爭，妳都不知道嗎？妳讓朕太失望了！』

皇后被罵得踉蹌一退，抬頭看著乾隆。又氣又委屈又感到侮辱，臉色慘白。知道再說什麼，乾隆都聽不進去，只得跪安，匆匆離去了。

乾隆用幾句話，堵了皇后的口，可是，自己心裡，卻不能不疑惑。尤其那句：

『聽說，那漱芳齋夜夜笙歌，常常主子奴才，醉成一片！』

所以，這晚，夜色已深。乾隆批完了奏章，想了想，回頭喊：

『小路子，你給朕打個燈籠，不要驚動任何人，朕要去漱芳齋走走！』

『喳！要多叫幾個人跟著嗎？要傳令妃娘娘嗎？』

『不用！就這樣去！到了漱芳齋，也別通報，知道嗎？』

『喳！』

夜靜更深，萬籟俱寂。漱芳齋的大廳裡，幾盞燈火，透著幽柔光線，一爐薰香，飄飄裊裊，氤氤氳氳的繚繞著一室檀香味。紫薇正在撫琴而歌。歌聲纏纏綿綿，淒淒涼涼，穿過夜空，輕輕的盪漾在夜色裡。

乾隆只帶著一個人，悄悄來到漱芳齋。

果然，隱隱有歌聲傳出。

乾隆神色一凜，眉頭微皺。

漱芳齋的大廳裡，紫薇渾然不覺，正唱得出神。金瑣在一邊侍候著，小燕子在打瞌睡。其他的太監宮女，都早已睡了。

金瑣推推小燕子，低聲說：

『大家都睡了，妳也去睡覺吧！我陪著她！』

『我不睏！我喜歡聽她唱！』小燕子矇矇矓矓的說。

紫薇唱得哀怨蒼涼：

『山也迢迢，水也迢迢，

山水迢迢路遙遙。
盼過昨宵，又盼今朝，
盼來盼去魂也消！
夢也渺渺，人也渺渺，
天若有情天也老！
歌不成歌，調不成調，
風雨瀟瀟愁多少？』

漱芳齋外，乾隆被這樣悽婉的歌聲深深的吸引了，不禁佇立靜聽。

紫薇唱得專注，乾隆聽得專注。紫薇唱得神往，乾隆聽得神往。紫薇唱得悽涼，乾隆聽得悽涼。紫薇唱得纏綿，乾隆聽得震動。

紫薇唱完，心事重重，幽幽一嘆。

窗外，也傳來一嘆。

小燕子睡意全消，像箭一般快，跳起身子，直射門外，嘴裡大嚷著：

『你是人是鬼?給我滾出來!半夜三更,在我窗子外面嘆什麼氣?上次沒抓到你,這次再也不會放過你了!滾出來!』

小燕子『砰』的一聲,撞在乾隆身上。

乾隆一伸手,就抓著小燕子的衣領。小燕子暗暗吃驚,沒料到對方功夫這麼好,自己連施展的餘地都沒有。她看也沒看,就大罵:

『你是那條道上的?報上名來!敢惹你姑奶奶,你不要命了……』

乾隆冷冷的開了口:

『朕的名字,需要報嗎?』

小燕子大驚,抬眼一看,嚇得魂飛魄散。

『朕是那條道上的,妳看清楚了嗎?』乾隆再問。

小燕子噗通一跪,大喊:

『皇阿瑪!這半夜三更,您老人家怎麼來了?』

紫薇的琴,嘎然而止。抬眼看金瑣,不知道是該驚該喜。

片刻以後，乾隆已經坐在一張舒適的椅子裡。三個姑娘，忙得不得了。拿靠墊的拿靠墊，端點心的端點心，泡茶的泡茶。乾隆四看，室內安安靜靜，溫溫馨馨。幾盞紗燈，三個美人，一爐檀香，一張古琴。這種氣氛，這種韻味，乾隆覺得有些醉了。

小燕子跟在乾隆身邊，忙東忙西，興奮得不得了。

『皇阿瑪，你怎麼一聲也不吭，也不讓小路子通報一聲，就這樣站在窗子外面，嚇了我一大跳！』

乾隆笑笑，問：

『小鄧子他們呢？』

『夜深了，大家都睏了，我叫他們都去睡覺了！』小燕子說：『要讓他們來侍候嗎？』

『不必了！』

紫薇和金瑣在忙著泡茶。

乾隆看看桌上的琴，再凝視忙忙碌碌的紫薇：

『剛剛是妳在彈琴唱歌嗎？』

紫薇一面泡茶，一面回頭恭敬答道：

『是奴婢！』

『好琴藝，好歌喉！』乾隆真心的稱讚，再仔細看紫薇。好一個標緻的女子！唇不點而紅，眉不畫而翠，眼如秋水，目若晨星。

紫薇捧了一杯茶，奉上。

『這是西湖的碧螺春，聽說皇上南巡時，最愛喝碧螺春，奴婢見漱芳齋有這種茶葉，就給皇上留下了！您試試看，奴婢已經細細的挑選過了，只留了葉心的一片，是最嫩的！』

乾隆意外，深深看紫薇，接過茶，見碧綠清香，心中喜悅，啜了一口。

『好茶！』他盯著紫薇：『剛剛那首歌，妳願意再唱一遍給朕聽嗎？』

『遵旨！』

紫薇屈了屈膝，就走到桌前，緩緩坐下，撥了撥弦，就扣弦而歌。

乾隆專注的聽著，專注的凝視紫薇，這樣的歌聲，這樣的人！依稀彷彿，以前曾經有過相似的畫面，這個情景，是多麼熟悉，多麼親切啊！

紫薇唱完，對乾隆行禮：

『奴婢獻醜了！』

乾隆目不轉睛的看紫薇，柔聲的問：

『誰教妳的琴？誰教妳的歌？』

『是我娘……』紫薇警覺到用字不妥，更正道：『是奴婢的娘，教奴婢的！』

乾隆嘆口氣：

『怪不得小燕子總是「我」來「我」去，這個「奴婢」這樣，「奴婢」那樣，確實彆扭，現在沒外人，問妳什麼，直接回答吧，不用拘禮了！』

『是！皇上！』

『妳娘現在在那兒？怎麼會把妳送進宮來當差呢？』

『回皇上，我娘已經去世了！』紫薇黯然的說。

『哦！那歌詞，是誰寫的？』

『是我娘寫的！』

『妳娘，是個能詩能文的女子啊！只是，這歌詞也太蒼涼了！』乾隆感慨的說。

紫薇見乾隆對自己輕言細語，殷殷垂詢，心裡已經被幸福漲滿了。此時，情不自禁，就暗暗的吸了口氣，鼓勇說：

『我娘，是因爲思念我爹，爲我爹而寫的！』

『哦？妳爹怎麼了？』乾隆怔了怔。

小燕子在旁邊，聽得心都跳了。她的爹啊……見了她都不認識啊！

金瑣站在一邊，眼眶都濕了。她的爹啊……近在眼前啊！

『我爹……』紫薇看小燕子，看金瑣，看乾隆。眼中湧上了淚霧，努力維持聲音的平靜，依然帶著顫音：『我爹，在很久很久以前，爲了前程，就離開了我娘，一去沒消息了！』

乾隆怔忡不已，看著紫薇，不禁憐惜。

『原來，妳也是個身世堪憐的孩子！妳爹有妳娘這樣盼著，也是一種福氣！後來呢？他回去沒有？』

紫薇低聲說：

『沒有。我娘一直到去世，都沒有等到我爹！』

乾隆扼腕大嘆：

『可惜啊可惜！所以，古人有詩說，「忽見陌頭楊柳色，悔教夫婿覓封侯」！年少夫妻，最禁不起離別！當初，如果不輕言離別，就沒有一生的等待了！』

紫薇看著乾隆，情緒複雜，思潮起伏：

『皇上分析得極是！不過，在當時，離別也是一件無可奈何的事，畢竟，誰都沒有料到，一別就是一生啊！不過，我娘臨終，對我說過幾句話，讓我印象深刻……』說著，有些猶豫起來：『皇上大概沒有興趣聽這個！』

『不！朕很有興趣！說吧！』

紫薇凝視乾隆，幾乎是一字一淚了：

『我娘說，等了一輩子，恨了一輩子，想了一輩子，怨了一輩子……可是，仍然感激上蒼，讓她有這個「可等，可恨，可想，可怨」的人！否則，生命會像一口枯井，了無生趣！』

乾隆撼動了。對這樣的女人，心嚮往之。

『多麼深刻的感情，才能說出這樣一篇話！妳娘這種無悔的深情，連朕都深深感動了！妳爹，辜負了一個好女子！』

小燕子眼珠一直骨碌碌的轉著，時而看乾隆，時而看紫薇，此時，再也按捺不住，激動的喊了出來：

『皇阿瑪！你認爲這樣的女人是不是太傻了？值得同情嗎？我聽了就生氣，等了一輩子，還感謝上蒼，那麼，受苦就是活該！女人也太可憐，太沒出息了，一天到晚就是等等等！對自己的幸福，都不會爭取！』

乾隆對小燕子深深的看了一眼：

『朕明白，妳也想到妳的娘了，是不是？妳和紫薇，雖然現在境況不同，當初的遭遇，倒是滿像的！』

小燕子一呆，紫薇也一呆。兩個人都震動著。

乾隆深思的看看窗外，有些愴惻起來：

『身爲男子，也有身不由己的地方！男人通常志在四方，心懷遠大，受不了拘束。所以，留情容易，守情難！動心容易，痴心難！在江山與美人的選擇中，永遠有矛盾。男人的心太大，要的東西太多，往往會在最後一刻，放棄了身邊的幸福。這個，妳們就不懂了！朕說得太遠了！』調回眼光，愧疚的看小燕子，憐惜的看紫薇：『好久以來，朕沒有跟人這樣「談話」了！能和妳們兩個，談到一些內心的問題，實在不容易！』注視紫薇：『紫薇，妳這樣的才氣，當個宮女，未免太委屈妳了！』

小燕子衝口而出：

『皇阿瑪！你也收她當個「義女」吧！』

乾隆瞪了小燕子一眼。

『妳以爲收個義女是很簡單的事，是不是？說話總是不經過大腦！』

紫薇嚇了一跳，生怕小燕子操之過急，破壞了這種難能可貴的溫馨。急忙說：

『格格有口無心，皇上千萬千萬別誤會！紫薇能在格格身邊，做個宮女，於願已足！』

小燕子不服氣的喊：

『孔子不是說「人不獨親其親，不獨子其子」嗎？皇阿瑪，你把全天下和我一樣遭遇的姑娘，都收進宮來做格格好了！』

乾隆看著小燕子，又驚又喜：

『妳居然說得出「人不獨親其親，不獨子其子」這種話！』

『我寫了一百遍呀！』

『可見，這個有用，以後再寫點別的！』

『皇阿瑪！請饒命！』小燕子大叫。

乾隆笑了，紫薇笑了，金瑣笑了。室內的氣氛好極了。

紫薇看著乾隆，心裡漲滿了孺慕之情。對乾隆微笑說：

『皇上！您一定餓了吧！我讓金瑣去廚房給您煮點小米粥來，好不好？想吃什麼，您儘管說！金瑣還能做點小菜！』

『是嗎？』乾隆摸了摸自己的胃：『妳不說，朕不覺得，妳一說，朕才覺得真有點餓了！』

小燕子急忙接口：

『皇阿瑪不說，我也不覺得，皇阿瑪一說，我也餓了！』

金瑣笑著請安：

『我這就去做吃的！』

金瑣便興奮的，匆匆忙忙的奔去了。

於是，乾隆在漱芳齋吃了消夜。

乾隆吃飽，精神又來了，自己也不明白，爲什麼那麼亢奮，看著紫薇說：

『我聽小燕子說，妳琴棋書畫，無一不通！』

『格格就是這樣……皇上您知道她的，她就會誇張！』紫薇臉紅了。

『我誇張?皇阿瑪!你已經看過她的字，聽過她的琴……』

『朕還沒試過她會不會下棋！』

此時，小路子哈腰進門，甩袖一跪。提醒說：

『萬歲爺，已經打過三更了！』

乾隆一瞪眼：

『三更又怎的?別攔了朕的興致!你去外面等著！』

『喳！』

結果，乾隆和紫薇一連下了四盤棋。

第一盤，乾隆贏了，可是，只贏了半顆子。乾隆的棋力是相當好的，他簡直有些不信。第二盤，乾隆又贏了，贏了一子半。第三盤，乾隆再度贏了，贏了一子。

乾隆興趣盎然，瞪著不疾不徐的紫薇：

『這樣下棋，妳不是很累嗎？』

『跟皇上下棋，一點都不累！』紫薇慌忙應道。

『怎麼不累?妳又要下棋,又要用心思,想盡辦法讓朕贏!妳這樣一心兩用,怎麼不累?可是……朕覺得很奇怪,妳故意輸棋,朕不奇怪,朕奇怪的是,妳用什麼方法,輸得不著痕跡,而且就輸那麼一子半子的?』

紫薇的臉孔,驀然緋紅。佩服無比的喊:

『皇上!我那有故意輸棋,是您的棋下得好,您有意試我的高低,故意下得忽好忽壞,聲東擊西,弄得我手忙腳亂,應接不暇,那裡還能顧得到輸幾子!我拚命想,別輸得太難看就好了!』

乾隆大笑了。

『哈哈!看來,我們都沒有全心在下棋!現在!朕命令妳,好好的使出全力,跟朕下一盤!不許故意輸給朕,聽到沒有?』

『聽到了!』

兩人又開始下棋。這樣一下,就下到天亮。最後一盤,兩人纏鬥不休,乾隆數度陷入長考。等到一盤下完,已經是早朝的時候了。數完子,乾隆輸了,也只輸了一顆子。乾隆大笑,推開棋子,站起身來。

『妳贏了！好好好！朕終於碰到一個敢贏朕的人！』注視紫薇，心服口服：『妳這個圍棋，也是妳娘教妳的嗎？』

『我娘會一點，我有一個教我唸書的顧師傅，教了我幾年！我娘……把我像兒子一樣栽培！』

乾隆興致高昂：

『這棋逢敵手，酒遇知音，都是人生樂事！紫薇，朕改天再來和妳下！』

這時，小鄧子、小卓子、明月、彩霞進門，一見到乾隆，全體跪落地。驚喊：

『皇上吉祥！』

乾隆見到四人，這才一驚。

『什麼時辰了？』

『已經卯時了！』

紫薇驚呼：

『皇上！別誤了早朝！』便回頭喊：『金瑣！打水來！小鄧子、小卓子，快去皇上寢宮拿朝服來！明月、彩霞，拿水來漱口！』

立刻，房裡人人忙亂。

小鄧子奔到門口，和令妃娘娘撞了個滿懷。一屋子人，紛紛行禮，喊『令妃娘娘吉祥』。

令妃進門，看到乾隆，呼出一大口氣。

『皇上！可讓臣妾嚇壞了，到漱芳齋來，怎麼也不說一聲？奴才們快把整個皇宮都翻過來了！』

『是朕的疏忽……和紫薇下棋下得忘了時間，怎麼一晃眼，就到這個時辰了？朕的朝服……』

『臣妾帶來了！』善解人意的令妃，急急把朝服捧上。

紫薇絞了帕子，給乾隆擦臉，又倒了水來，給乾隆漱口。看到朝服，就本能的接過，令妃早就一步上前，兩人幫皇上更衣。

一陣忙忙亂亂，乾隆總算弄整齊了，出門去。令妃率眾跟隨。

紫薇、小燕子、金瑣追到門口，屈膝喊道。

『皇阿瑪好走！』

『奴婢恭送皇上！』

乾隆走了幾步，又情不自禁的回頭，再深深的看了紫薇一眼。這才帶著眾人，浩浩蕩蕩的去了。

17

紫薇和乾隆，居然有這麼好的開始，大家都高興得不得了。小燕子真是興奮極了，每天都高興得手舞足蹈。這天，她要帶紫薇去『景陽宮』看五阿哥。和紫薇研究了半天，決定『正大光明』的去。

於是，小燕子穿著一身紅色的格格裝，紫薇穿著一身綠色的宮女裝，兩人都裝扮得十分美麗，昂頭挺胸的走在前面。後面緊跟著金瑣、明月、彩霞、小鄧子、小卓子。一行人非常惹眼，浩浩蕩蕩的往景陽宮走去。她們一路走，身前身後，一直有太監伸頭伸腦的窺探著。紫薇拉拉小燕子的衣服，小燕子就發現了，仔細再一看，容嬤嬤居然站在假山後面，全神貫注的看著他們。

小燕子就不動聲色，大聲的說：

『紫薇，我現在帶妳去五阿哥那兒走走，五阿哥在兄弟姐妹裡，跟我最談得來！奇怪的是，我每次去看五阿哥，總有一些莫名其妙的人，在我後面伸腦袋，妳瞧，那兒就有一個！』

小燕子一面說著，就突然飛竄到一根柱子後面，捉出一個太監，摺倒在地。對那小太監大聲一吼：

『誰要你來跟蹤我的？說！』

小太監嚇得魂飛魄散，跪在地上大拜特拜。

『格格饒命！沒有人要奴才跟蹤您，是奴才正穿過花園，要去坤寧宮辦事……』

小燕子一腳就踩在太監的胸口。

『你說不說？說不說？』

紫薇拉拉小燕子的衣袖，慢條斯理的說：

『格格不要生氣！上次妳把那個侍衛踩到吐血，妳忘了？妳腳力大，別鬧出人命來！』

『那我可管不著！他不說，我就踩死他！』小燕子說著，用力一踩。

小太監嚇得渾身發抖，尖叫起來：

『格格！高抬貴腳呀！冤枉啊……高抬貴腳啊……』

『我這個「貴腳」抬不起來了！你再不說，我要把你的五臟都踩出來！』

小燕子再一用力，小太監尖叫出聲了：

『是容嬤嬤！容嬤嬤！』就對著容嬤嬤的藏身處大喊：『容嬤嬤救命啊！』

容嬤嬤一見情況不對，閃身要溜。誰知，一個人影一閃，已經攔住了她。容嬤嬤定睛一看，原來是永琪。

『容嬤嬤！站住！』永琪大喝一聲。

容嬤嬤嚇了一跳，只得站住。永琪就厲聲說：

『這宮中規矩，妳是知道還是不知道？』

容嬤嬤維持著驕傲，說：

『奴婢不知道五阿哥是什麼意思？』

永琪氣勢凌人的一吼：

『什麼意思？這「格格」大，還是妳大？』

『當然「格格」大！』

小燕子可逮著機會了，大喊：

『放肆！說話居然不用「奴婢」，反了！金瑣！給我教訓她！』

『啊？格格……』金瑣楞住了。

『金瑣，妳不知道怎麼教訓，是嗎？就是上去給她幾巴掌，就像她上次給妳的！』小燕子喊著，其勢洶洶。

金瑣眨巴著眼睛，吶吶的說：

『格格……奴婢不會這個！』

小燕子沒轍，又喊：

『明月！妳去教訓她！』

明月一驚：

『格格……奴婢不敢！』

小燕子跌腳大嘆：

『真沒出息！妳們不敢教訓她？那麼，我親自教訓她！』

小燕子說著，已經飛身上前，『啪』的一聲，就給了容嬤嬤一耳光。

容嬤嬤一直是皇后面前的紅人，那裡受過這樣的侮辱，又驚又怒。可是，面前的人，一個是格格，一個是阿哥，她只能忍氣吞聲，動也不敢動。

『這一耳光，是當初妳打我，我沒加利息，就這樣打還給妳！現在，紫薇和金瑣的帳，我再和妳一起算！』小燕子嚷著，舉起手來，還要繼續開打。

斜刺裡，賽威匆匆趕到，飛身而上，攔住了小燕子。

『格格請息怒！容嬤嬤是皇后娘娘身邊的人，又是老嬤嬤，格格手下留情！』

小燕子見是賽威，就停住手，喊：

『賽威！你武功好，身手好，我把你看成一個好漢！爲什麼好漢不做好事？老是跟我作對？』

『奴才不敢！』賽威看著小燕子，誠懇的說：『奴才是奴才，上面有主子，主子是主子！主子有命，奴才從命！對主子不忠，就不是好漢了！』

小燕子呆了呆，聽得頭昏腦脹。

『什麼主子奴才，我頭都給你繞昏了，不過，好像你有你的道理……』就抬高聲音：『那麼，你不預備讓開了！是不是？』

賽威躬身行禮，說：

『請格格息怒！』

小燕子背脊一挺，怒喊：

『我今天一定要打容嬤嬤，如果你不肯讓，你就得把我摞倒，你要忠於你的主子，你就動手吧！』說著，往前一邁步，氣勢凜然，賽威不得不往後一退。

永琪就義正詞嚴的大聲喊：

『賽威！你只要碰格格一下，你就是「以下犯上」，罪無可赦！你想想清楚！摸摸你脖子上有幾顆腦袋？那有奴才攔格格的路？你也反了嗎？』

容嬤嬤到這個時候，才知道情況嚴重，眼見很多太監宮女都圍過來，生怕當衆吃虧，下不了台。便屈服急呼著：

『格格息怒，奴婢知罪了，奴婢不敢了！』

紫薇見容嬤嬤年邁，一臉的委屈驚恐，心中不忍，就走上前來，對小燕子說：

『格格！大人不計小人過，妳就饒了容嬤嬤吧！就像這位勇士說的，容嬤嬤上面有主子，主子有命，奴才從命！生為奴婢，也有許多身不由己！容嬤嬤雖然是奴婢，在宮中多年，也算是長輩了！不是「人不獨親其親」嗎？您就得饒人處且饒人吧！』

小燕子對紫薇驚問：

『紫薇！妳居然幫她說話？妳忘了她怎麼欺負妳？怎麼打得妳臉都腫了？這正是報仇的時候，妳不要報嗎？』

『格格，我寧可不報！』

小燕子楞了一下，這樣放過容嬤嬤，心有不甘，就說：

『那……還有金瑣的帳！』

金瑣急忙往前一步，說：

『格格，我和紫薇一樣！她不報，我也不用報了！』

小燕子跺腳：

『我這個漱芳齋全是一些没出息的人！只會同情別人，不會保護自己！』就抬頭看永琪：

『五阿哥，你怎麼說？』

永琪就往容嬤嬤面前一站，正氣凜然的說：

『容嬤嬤！今天，我和還珠格格就放妳一馬！我們饒妳，不是因爲賽威擋在前面，賽威功夫再好，不能和主子動手！妳心裡也明白這個道理！今天饒妳，是因爲妳這把年紀，這個輩份，真要挨打，妳的面子往那兒擱？看在妳四十年的工作上，我們放了妳！妳自己也想想清楚，和我作對，和格格作對，妳值得嗎？妳夠份量嗎？我們尚且顧全妳的面子，妳呢？』

容嬤嬤臉色鐵青，此時此刻，不得不低頭。就忍辱的說：

『謝五阿哥不罰之恩！謝還珠格格不罰之恩！謹遵五阿哥和格格的教訓，奴婢知錯了！』她仍然維持著尊嚴，只屈了屈膝。

小燕子怒叫：

『跪下！』

容嬤嬤不得不雙膝落地，臉色慘白。

小燕子就聲色俱厲的喊：

『容嬤嬤！不要以爲妳不會落單，不會栽跟斗！夜路走多了，總會遇到鬼！今天，五阿哥說放妳，紫薇說放妳，金瑣說放妳，我就放了妳！我現在清清楚楚的告訴妳，我要到五阿哥那兒去坐坐！妳不用再跟蹤我了！妳回去告訴妳的主子，我們漱芳齋所有的人，都在五阿哥那兒串門子，皇后娘娘没事做，也可以來參加！妳那些偷偷摸摸的事，妳就給我免了吧！』

小燕子說完，掉頭看紫薇。

『紫薇，我們走！』

小燕子就高昂著頭，和永琪、紫薇向前走去。

金瑣、明月、彩霞、小鄧子、小卓子一群人跟隨，個個都感到痛快極了，對容嬤嬤勝利的注視，大家昂首闊步，趾高氣揚。

容嬤嬤像個被鬥敗了的公雞，跪在那兒，灰頭土臉，咬牙切齒。

教訓了容嬤嬤，小燕子好得意，和紫薇走進永琪的書房，爾康爾泰早已等在那兒了。小燕子一看到爾康兄弟，就興奮的大嚷：

『我們剛剛碰到容嬤嬤，我和五阿哥把她狠狠的教訓了一頓，總算出了半口氣，報了半箭之仇！』

『什麼叫半口氣？半箭之仇！』爾泰問。

『本來，我可以狠狠的給她幾耳光，在所有的太監宮女面前，打得她臉蛋開花，那才算是出了一口氣，報了一箭之仇！都是紫薇攔著我，五阿哥又說什麼她那把年紀，要給她留點面子，所以，我只好「手下留情」了！結果，只出了半口氣！只報了半箭之仇！』

爾康嚇了一跳，急得跺腳，說：

『爲什麼要逞一時之快？小不忍則亂大謀啊！』

『什麼「快不快，小人大貓」的？』小燕子瞪圓眼睛。

永琪義憤填膺的接口：

『没辦法忍了！我贊成小燕子的做法，總要讓容嬤嬤知道一下厲害！一個格格加一個阿哥，還收拾不了這個老刁奴，也太不像話了！』

爾康著急，看著紫薇，他已經好多日子没見到紫薇了。

『那麼，你們這樣一鬧，待會兒皇后又會找來了，大家還有機會說話嗎？』

小燕子就把紫薇推到爾康身前，急急的說：

『所以，你們有話快說！我們去門外幫你們兩個守門，只要聽到我們咳嗽什麼的，你們兩個就知道有人來了！』就回頭喊：『五阿哥！爾泰！我們迴避一下！』

紫薇臉一紅，說：

『不要這樣嘛，大家一起說話嘛……』

小燕子偏著腦袋看看紫薇，喊著：

『那妳的「悄悄話」怎麼告訴他？』

紫薇臉更紅了：

『我那有「悄悄話」嘛！』

小燕子就偏著腦袋看爾康：

『那……爾康的「悄悄話」怎麼告訴妳？』

『誰說……他有「悄悄話」嘛！』紫薇哼著。

小燕子看看紫薇，又看看爾康。

『都沒有「悄悄話」？好奇怪！那我就不走嘍，你們不要後悔啊！』

爾康只好笑著上前，對小燕子一揖到地。爾泰就笑著喊：

『小燕子！不要再耽誤他們兩個的時間了！走走走！』

小燕子這才嘻嘻哈哈笑著，跟爾泰、永琪跑出門去了。

房裡剩下了紫薇和爾康。

兩人深深注視，爾康就激動的握住了紫薇的手。

『我都聽說了！皇上跟妳下了一夜的圍棋？』

紫薇興奮的點點頭，眼睛發光。

爾康凝視紫薇，又驚又喜的說：

『妳從來沒有告訴過我，妳會下圍棋！妳還有多少事情是我不知道的？妳簡直是深藏不露啊！』

紫薇談到乾隆，就興奮起來，好多話要告訴爾康：

『我現在終於知道，我娘爲什麼爲他付出了一生，臨終還要我來找他！他是個好有深度，好有氣度，好有風度的人，我崇拜他！想到他是我爹，我就充滿了幸福感！當他幾次三番問到我娘的時候，我的聲音都激動得發抖，如果不是爲了小燕子，我真想把一切都告訴他！』

爾康眩惑的看著紫薇，分沾著紫薇的喜悅，也有著無數的擔心：

『我就知道，妳的光芒遮也遮不住，藏也藏不住！不過，我沒想到這麼快，妳就進入情況了！我真是一則以喜，一則以憂，喜的是妳這麼爭氣，憂的是這深宮之中，危機重重，生怕皇上對妳的喜愛，會變成妳的另一個危機！紫薇，妳真的要小心啊！』

『我知道！你放心，我會拚命保護自己和小燕子的！』

爾康就熱切的，渴望的，上上下下的看她。低聲問：

『想我嗎？』

紫薇頭一低。

『不想。』

『有沒有「悄悄話」要告訴我？』爾康再問。

紫薇頭更低了，輕聲說：

『有一句。』

『是什麼？』

紫薇就在他耳邊，吹氣如蘭，低低說：

『那句「不想」是假的！』

爾康一個激動，就把她擁入懷中。

紫薇依偎著他，兩人片刻溫存，畢竟有所顧忌，就輕輕分開了。紫薇想了想，說：

『有件事一直擱在心上，希望你幫我辦一下！』

『什麼事？』

『柳青和柳紅那兒，我大概暫時没辦法過去了！上次他們把我藏在小茅屋，給你們找到了，接著帶進宮，連喘氣的機會都没有，我對他們兄妹好抱歉，總該給他們一個交代的！你可不可以去看看他們？那個大雜院裡的人，你也要時時刻刻去照顧一下！』

爾康凝視紫薇。真的，那個柳青柳紅，和大雜院裡的老老小小，是個大大的隱憂，不能不解決了。他鄭重的點頭。

『是！我知道了！』

爾康第二天就去了大雜院。交給柳青一個錢袋，鄭重的說：

『這是小燕子和紫薇託我交給你的！裡面有五十兩銀子，她們暫時無法照顧大家，希望你和柳紅，幫大夥兒搬一個地方住！』

柳青銳利的盯著爾康：

『你是說，要我把大雜院裡二十幾口人，都給疏散了？』

爾康也銳利的盯著柳青：

『不錯！給老人找個可以安養的地方，給孩子們找個家，如果找不到，這些錢可以蓋一個！

但是，必須離開這個大雜院，而且，越早越好！走得越遠越好！』

柳青抓起錢袋，往懷裡一揣，簡短的說：

『我們換一個地方說話！』

兩人來到郊外，站在一個山崗上，四顧無人，柳青才正色的問：

『你是不是預備告訴我，小燕子和紫薇到底是怎麼回事？』

爾康搖頭：

『不，我不預備告訴你！你知道得越少，對你越好！我只能告訴你一件事，小燕子把紫薇也接進宮裡去了！你們那個大雜院，出了兩個進宮的姑娘，總有一天，會引起注意，爲了大家的安全，我才對你做那樣的要求！』

柳青鎮靜的一笑。

『那麼，讓我告訴你是怎麼回事好了！假格格進了宮，真格格進了府！現在，你又把紫薇送進宮去，想讓皇上再認一個！』

爾康大驚失色：

『誰跟你說了這些話？』

柳青一嘆，直率的說：

『小燕子在大雜院住了五年，她的事，我那一件不知道！至於紫薇，自從來到大雜院，心心念念的，就是要找她的爹！她和小燕子每天嘰嘰咕咕，總有一些蛛絲馬跡露出來。等到小燕子和紫薇闖圍場，小燕子變成了格格，紫薇居然瘋狂到去追遊行隊伍，然後留在你們府中，就不回來了！事情一直發展到今天，如果我還看不明白，我就是傻瓜了！』

爾康點點頭，對柳青誠摯的說：

『紫薇說你是俠客，碰到困難就找你！小燕子想把你們兄妹弄進宮去當侍衛！她們如此器重你，我想，她們都沒有看錯你！』

柳青眼光閃了閃，心裡就萌生出一份『士爲知己者死』的知遇之感來。

『是嗎？她們這麼說？』

爾康凝視著柳青：

『是！你都分析出來了，我也不瞞你了！小燕子和紫薇，是一個陰錯陽差的錯誤！紫薇才是真正的「還珠格格」。我們現在把紫薇送進宮，是抱著一線希望，希望真相大白，而不會傷害到小燕子！也讓紫薇得回她的爹，和她應有的身份！』

柳青沈思，許多疑團，全部解開了。不禁驚嘆：

『一直知道她不簡單，原來竟是一個格格！』

『我希望，你會咬緊這個祕密！』

『你把我看成什麼?搬弄口舌的無聊漢嗎？』柳青有些生氣的說。

『當然不是！我一直欠你一份最深刻的感激！謝謝你上次幫助紫薇！』

柳青一笑，掉頭看爾康：

『你會保護她們兩個的，是不是？』

爾康誠摰的回答：

『我會用我的生命來保護她們兩個！』

柳青點頭，和爾康交換著深沈的注視。

『好！那麼，我去保護大雜院裡的老老小小！你放心，十天之內，大雜院裡的人就都不見了！沒有人再會洩露任何祕密！如果她們需要我，你去上次紫薇住的小茅屋，告訴那兒的張老頭，就可以找到我！記住，不是只有你，願意爲她們出生入死！』

爾康感動極了。

『紫薇說你是俠客，我認爲你是英雄！』

柳青微微一笑，兩個男人，把所有未竟之言，都心照不宣了。

小燕子有了紫薇作伴，又打了容嬤嬤，真是『志得意滿』，快樂得不得了。至於爾康擔心的『小人大貓』，她一點都不放在心上。這天心血來潮，帶著整個漱芳齋的女性，裁了一大堆的錦緞，在那兒縫製一種奇怪的東西。

紫薇一面縫，一面說：

『我覺得，妳做這個有點多餘，真用得上嗎？』

小燕子拚命點頭，說：

『用得上！用得上！我告訴妳，等到做好了，我們每個人膝蓋上都綁一個！我已經想了好久了，才想到這個主意！這一天到晚下跪，總得把膝蓋保護保護！我就不明白，皇阿瑪那麼聰明的一個人，幹嘛動不動要人跟他下跪？』

『妳綁這麼厚兩個東西在膝蓋上，走路會不會不靈活呢？』紫薇問。

金瑣已經做好了一對，就對小燕子說：

『格格！妳要不要先試一試看！』

『好！』

小燕子就興沖沖的坐下，撈起褲管，金瑣把『護膝』給她綁上，明月、彩霞都來幫忙。綁好了，金瑣說：

『怎麼樣？膝蓋動一動看，如果太厚了，我再把它改薄！』

小燕子把褲管放下，滿屋子跳來跳去，得意的哈哈大笑：

『哈哈！好極了！一點都不妨礙走路！』在室內繞了一圈，突然重重的『崩咚』一跪。『哈哈，像跪在兩團棉花上，可舒服了！這玩意好，我給它取個名字，就叫「跪得容易」！我們漱芳齋每人發一對！大家趕快做，我還要去送禮！五阿哥、爾康、爾泰、小桂子、小順子、臘梅、冬雪……簡直人人需要！你們想，常常在那個石子地上，說跪就跪，幾次都把我跪得青一塊，紫一塊！』

紫薇失笑：

『妳別送禮了！五阿哥他們收到妳這樣的禮物，不笑死才怪！妳教他們戴上這個，我想，他們沒有一個人肯戴！』

小燕子瞪大眼：

『爲什麼？這麼好用的東西，爲什麼不戴？趕明兒，我還要做一個「打得容易」，那麼，就不怕挨打了！』

金瑣實在忍不住，問：

『妳這個「跪得容易」綁在膝蓋上就可以了，那個「打得容易」要怎麼綁？』

小燕子納悶起來：

『是啊！說的也是！這有點傷腦筋！』

明月貢獻意見：

『格格以後都穿棉褲算了！』

『那不成，』紫薇笑著說：『這個大熱天穿棉褲，就不是「打得容易」，是「中暑容易」了！』

大家都笑了起來。室內嘻嘻哈哈，好生熱鬧。就在一片笑聲中，小鄧子帶著小路子來到。小路子甩袖跪倒，對小燕子說：

『格格！皇上在書房，要格格馬上過去！』

小燕子一呆，喊：

『完了！完了！皇阿瑪一定又找到什麼「好運壞運」「大桶小桶」的東西來教訓我了！看樣子，我最該發明的，還是一個「寫得容易」！』

小燕子走進御書房，抬眼一看，爾泰、永琪都在，正給她拚命使眼色。除了他們，還有一個紀曉嵐。她糊裡糊塗，心裡有點明白，自己又出了什麼錯。仗著膝蓋上綁著『跪得容易』，她對著乾隆就砰的跪倒，說：

『皇阿瑪吉祥！』

『起來！』

小燕子心裡一陣得意，那個『跪得容易』真好用，膝蓋一點都不痛。站起身來，面對紀曉嵐，又『崩咚』一跪。

『紀師傅吉祥！』

紀曉嵐嚇了好大一跳，慌忙伸手扶起小燕子。

『格格請起，爲何行此大禮？』

小燕子剛剛起身，又對著乾隆噗通跪倒。

『皇阿瑪，我是不是又做錯了事？』

乾隆好生納悶。這孩子怎麼被嚇成這樣？左跪右跪的？

『起來！起來！』

『我就跪著吧，反正「跪得容易」！』小燕子自言自語。

乾隆聽不懂，伸手一揮。

『叫妳起來就起來，又沒罰妳，妳一直跪著幹嘛？』

小燕子這才不情不願的站起身來。

乾隆拿著好多篇文稿，對小燕子說：

『今天，朕跟紀師傅研究你們的功課，朕剛剛看了永琪和爾泰的文章，心裡非常安慰！可是，紀師傅把妳的功課拿給朕一看，朕就頭暈了！』把一張字箋遞給小燕子：『這是妳作的詩嗎？』

小燕子拿過來看了看。

『是！』

『妳自己唸給朕聽聽看！』

『最好不要唸！』

『叫妳唸，妳就唸，什麼最好不要唸！』

小燕子迫不得已，只好低頭唸：

『走進一間房，四面都是牆，抬頭見老鼠，低頭見蟑螂！』

永琪爾泰彼此互看，拚命要忍住笑。

紀曉嵐一臉的尷尬。

『妳這是什麼詩？』乾隆看著小燕子。

『這是很「寫實」的啦！我現在住在皇宮裡，當然什麼都好！可是，我進宮以前住的那個房子，就是這樣！那個李白，能夠「舉頭望明月，低頭思故鄉」，一定是窗子很大，又開著窗户睡覺，才看得到月亮；我那間房，窗子不大，看不到月亮，半夜老鼠會爬到柱子上吱吱叫。至於蟑螂嗎？也是「寫實」！』

『妳還敢說是「寫實」！』乾隆大聲一吼。

小燕子嚇了一跳，慌忙說：

『下次不寫實就好了嘛！』

『這首，也是妳作的？』乾隆又拿出一張詩箋問。

小燕子拿來一看，頭大了，點點頭。

『唸來聽聽看！』

『可不可以不唸？』

『不許不唸！』

小燕子只得唸：

『門前一隻狗，在啃肉骨頭，又來一隻狗，雙雙打破頭！』

永琪和爾泰拚命忍笑，快憋死了。

紀曉嵐也忍俊不禁。

『妳這種詩，算是詩嗎？妳也交得出來？』乾隆瞪著小燕子。

『沒辦法，師傅說：「妳給我作鬼打架也好，狗打架也好，反正一定要作首詩給我！」我想，還是「寫實」一點，「鬼打架」我沒看過，「狗打架」我看過！所以，就寫了這首！可是，師傅說我「雙雙」兩個字，用得還不錯！』說著，就求救的看紀曉嵐。

紀曉嵐就急忙說：

『皇上！格格已經進步很多了，她確實在努力學習，偶爾，還有很典雅的句子出現，慢慢調教，一定會進步的！』

永琪也上前稟告：

『皇阿瑪！小燕子本來字都不認得幾個，現在能寫兩首打油詩，真的已經難能可貴，不要把她逼得太緊，反而讓她對文字害怕起來！』

爾泰也上前幫忙：

『皇上，小燕子作詩，已經分得清「五言」「七言」，也會押韻了！她起步太晚，有這樣的成績，是師傅的「功勞」，徒弟的「苦勞」了！』

『哼！』乾隆瞪瞪小燕子，啼笑皆非的說：『作出這樣的詩來，居然還人人幫妳說話！』又抓起第三張詩箋，對小燕子說：『妳再唸這首給朕聽聽！』

小燕子大大的嘆口氣，無奈的唸：

『昨日作詩無一首，今天作詩淚兩行，天天作詩天天瘦，提起筆來喚爹娘！』

『又是一首「寫實」詩？』

『是！』

『作詩那麼辛苦啊？』

『是！』

『還敢說是！』

『本來就是！如果說「不是」就是「欺君大罪」！』

乾隆一拍桌子，揮舞著那張詩箋：

『可是，這就不是「欺君大罪」了嗎？是誰幫妳寫的？從實招來！這首詩雖然努力模仿妳的語氣和用字，仍然不是妳寫得出來的！是永琪寫的嗎？還是爾泰寫的？』

永琪和爾泰，慌忙搖頭否認。

小燕子見又逃不過，只好招了：

『皇阿瑪！這作詩，不是那麼容易嘛！我已經很努力的學了，那個「平平仄仄」實在很複雜，什麼是「韻」還沒弄清楚……』

『妳不要跟我東拉西扯，先告訴朕，是誰代筆，朕要一起罰！』乾隆生氣。

小燕子一急：

『您罰我就可以了，罰她……』忽然眼睛一亮：『如果是罰寫字，就罰她好了！她不怕寫字，寫得又快又好！』

乾隆納悶。

『她是誰？』

『紫薇！』

乾隆震動了。紫薇？又是紫薇！

『這首詩是紫薇寫的？』

『是！她說我作詩實在太辛苦了，幫我隨便寫了兩句！』

乾隆眼前，立刻浮起紫薇那清靈如水，欲語還休的眸子。耳邊，也縈繞起她那纏綿哀怨的歌聲。好聰明的丫頭，好動人的丫頭，好奇怪的丫頭！他不由自主，就出起神來。

爾泰和永琪，又對看一眼，有意外之喜。

乾隆出了半天神，這才回過神來，轉眼看紀曉嵐。

『曉嵐，朕覺得，小燕子必須管得緊一點，她的幫手一大堆，課堂上好幾個，家裡還有，你不能不防！』

『臣遵旨！』紀曉嵐看乾隆：『其實，格格天資聰穎，生性活潑，有格格的長處！在課堂上規規矩矩的上課，對格格是一種虐待，如果能從生活上教育，說不定會收到事半功倍的效果！』

乾隆沈思，就把作業推開，說：

『紀賢卿說得很有道理。好了！功課的事，就讓紀師傅去傷腦筋！朕最近想出門走走，「微服出巡」一趟，視察視察民情。紀賢卿一起去！永琪、爾泰，你們和爾康也一起去！』

『是！』永琪和爾泰興奮的應著。

『我也一起去！』小燕子急忙喊。

『妳是女子，不能去！』

『你「微服出巡」也是要化裝的，我裝成你的丫頭，不就行了嗎？』小燕子興奮極了，哀求的說：『皇阿瑪，求求你帶我去，我整天悶在宮裡，都快要生病了！有我在路上跟你作伴，說說笑笑，不是很好嗎？』

『妳想去，有個條件！』乾隆盯著小燕子。

『什麼條件？』

『把李頎的「古從軍行」給背出來！』

『「古從軍行」是什麼東西？』小燕子自言自語：『不管它是什麼東西，我背就是了！如果我背出來了，皇阿瑪，你可不可以也答應我一件事？』

『妳也要講條件嗎？妳說！』

『你不能只用一個丫頭，讓紫薇跟我一起去！』

乾隆想了想，紫薇一起去？路上，有人下棋唱歌，豈不快哉？他爽氣的一點頭：

『好！讓紫薇跟妳一起去！』

『皇阿瑪萬歲萬萬歲！』小燕子這一樂，非同小可。情不自禁，就歡呼了起來。一面喊著，一面就高興的一躍，又『崩咚』跪下，謝恩：『小燕子謝皇阿瑪恩典！』

誰知，小燕子這一次動作太大了，這樣一躍一跪，兩個『跪得容易』就滾了出來，跌落在地。

乾隆驚愕的喊：

『這是什麼東西？』

小燕子慌忙抓起護膝，納悶的說：

『這是「跪得容易」！怎麼一跳就掉出來了？簡直變成「掉得容易」了！不行！還得改良！

回去再研究！』

爾泰、永琪、紀曉嵐全都瞪大了眼睛，個個莫名其妙。

乾隆稀奇極了，困惑極了，喃喃自語：

『跪得容易？』

18

就在小燕子被乾隆叫去問功課的時候，宮裡的太監頭兒高公公，帶著一群很有氣勢的太監們，昂首闊步的來到漱芳齋。

『皇后娘娘懿旨，宣紫薇去坤寧宮問話！』高公公大聲說。

紫薇大驚，跳起身子。

『皇后娘娘？』

『是！快走！』

金瑣、明月、彩霞全部圍了過來，慌成一團。金瑣急忙應著：

『格格此刻不在，交代大家不得離開漱芳齋，等格格回來，立刻就去！』

『是是是！咱們奉命，誰都不許走！』彩霞也跟著說。

高公公面無表情。

『皇后娘娘的懿旨，是馬上就去！誰敢延誤，以「抗旨」論！』

高公公身後，一排太監往前跨了一步。

紫薇看看這個氣勢，知道逃不過了，挺身而出。

『好！我跟你們去！』

『我也一起去！』金瑣急忙嚷。

『皇后娘娘只叫傳紫薇，別人不用去！走吧！不要讓娘娘等！』

紫薇給了金瑣一個眼光，便被一群太監，押犯人似的押走了。

金瑣臉色慘白，回頭看明月、彩霞，大喊：

『快去找格格！快去找五阿哥！快去找福少爺啊……』

紫薇懷著一顆忐忑的心，跟著高公公，走進坤寧宮。高公公一語不發，埋著頭走。紫薇身後，一群太監緊緊跟隨。拐彎抹角的走了好大一段路，穿過迴廊，穿過後花園，來到一個光線暗暗的房門口。賽威賽廣在門口走來走去，氣氛十分詭異。紫薇還沒看清楚，忽然覺得有人在身後將她一推，她就跌進一間密室裡，房門立刻關上。

紫薇抬頭一看，皇后正端坐桌前，容嬤嬤和三個老嬤嬤侍立在側，室內光線幽暗，氣氛陰沈。

紫薇一見皇后，立刻跪落地，磕頭說：

『奴婢紫薇叩見皇后娘娘！』

皇后起身，走到紫薇身前。冷冰冰的說：

『抬起頭來！』

紫薇被動的抬起頭來，膽怯的看著皇后。

『哼！聽說妳會唱歌，會下棋，還會寫字，是不是？』

『回皇后，只是皮毛而已！』

『妳的「皮毛」，已經會勾引人了，妳的「骨肉」，豈不是會把人給吞了？』皇后的聲音抬高了。

紫薇大驚，震動極了，忍不住就喊了出來：

『皇后娘娘……』

皇后一拍桌子，厲聲問：

『妳給我老實招出來，妳混進宮來，爲了什麼？是令妃娘娘訓練妳的嗎？是福倫家養著妳的嗎？妳學了多少東西，讓妳來勾引皇上？說！』

紫薇驚得目瞪口呆，臉上的血色，全體消失。天啊，這是怎樣的誤會？但是，自己的來龍去脈，怎麼說得清楚呢？她便以頭觸地，誠摯的喊：

『皇后娘娘，請不要誤會，奴婢和令妃娘娘，幾乎不認得！奴婢所學，都是奴婢的娘教的，與福大人家裡，一點關係都沒有！我也絕對絕對沒有勾引皇上，我可以指天誓日，那是天理不容的呀！』

皇后繞著紫薇走，上上下下打量紫薇，怒喊：

『長得就是一股狐媚樣子，做的都是下流事情，還在這兒狡辯！容嬤嬤，李嬤嬤……給我教訓她！』

容嬤嬤就帶著三個嬤嬤，一起上來，容嬤嬤對著紫薇肚子一踢，其他幾個嬤嬤就將紫薇按倒在地，紫薇魂飛魄散，大叫起來：

『皇后娘娘！您冤枉我了！您真的冤枉我了！我跟您發誓，我絕對不是任何人，為了皇上安排的女人，我不是不是呀……對皇上而言，我根本是個「零」，是個「不存在」呀……』

『妳這個「零」，如果再不說實話，我就讓妳變成真的「零」！真的「不存在」！』皇后咬牙切齒。

地上，放著一塊紅布，布上，放著無數的金針。

容嬤嬤就拿起一根金針，猛的插進紫薇的胳臂。其他嬤嬤，紛紛拿起金針，對著紫薇渾身上下，狠狠刺下去。刺完便收針，隨刺隨收。紫薇頓時陷入一片針海裡，那細細的針，那麼有經驗的，專門揀身上最敏感的地方下針，似乎每一針都刺進了五臟六腑，痛得她天昏地暗。

『哎喲……娘娘！請不要！請不要……』紫薇喊著，淚落如雨。『我真的沒有啊……我對皇上，只有孺慕之思啊……天啊！老天知道，蒼天救我……哎喲！』

『妳叫天吧！妳叫地吧！皇宮這地方，就是叫天不應，叫地不靈的地方！誰教妳千方百計的混進來！「孺慕之思」！妳居然敢用這四個字？妳有什麼資格用這四個字？會兩句成語，就這樣亂用！容嬤嬤！讓她抬起頭來！』

容嬤嬤便把紫薇的頭髮，死命的往後一扯。紫薇的頭髮散開，釵環滾落。容嬤嬤拾起一根髮簪，就往紫薇渾身戳去。

紫薇痛得天翻地覆，不住口的喊著：

『娘娘！不是的！不是娘娘想的那樣呀……』

『容嬤嬤！跟她說說清楚！』

容嬤嬤就拉起紫薇的頭，警告的說：

『娘娘沒時間跟妳耗著，今天，問妳什麼，妳老老實實的回答，咱們就放妳一條活路！如果妳不說，妳這張漂亮臉蛋，就沒有了！會彈琴的這些手指，也沒有了！妳自己想一想吧！』

紫薇在劇烈的痛楚中，突然逼出一股力量，抬頭喊：

『娘娘！我只是一個卑微宮女，死不足惜！可是，我奉娘娘旨意，到這坤寧宮來，是宮女們太監們看著過來的！還珠格格一定會追究我的下落，她的個性，一定鬧得天翻地覆，娘娘貴爲東宮之首，真要爲一個無名小卒，擔當殺人之罪嗎？』

皇后冷哼了一聲：

『嘴巴倒是很厲害！該說的不說，不該說的說上一大堆！容嬤嬤！』

容嬤嬤對著紫薇的腰際，一腳踹去。另外幾個嬤嬤，更是扭的扭，掐的掐，戳的戳，刺的刺。

紫薇痛喊：

『容嬤嬤……御花園裡，我還幫妳說情，妳今天一定要對我下這樣的狠手嗎？大家都是奴才呀！』

容嬤嬤恨恨的說：

『不提御花園，我還會手下留情，提了御花園，我再賞妳幾下厲害的，妳以爲我不知道，妳和那個還珠格格在演戲嗎？欺負了人，還要假扮好心！』

容嬤嬤說著，掐住紫薇腰間的肉，狠狠的一扭。

『現在，告訴我，妳和令妃娘娘、福倫家、小燕子、還有五阿哥在圖謀什麼？說！』皇后厲聲問。

紫薇心想，這樣的問題，簡直說都說不清。她根本不屑於回答，就閉嘴不語。容嬤嬤抓起一把金針，迅速的對紫薇腰際戳下去。這樣一戳，紫薇痛得冷汗直流，身子都痙攣起來。再也忍不住，悽厲的大喊出聲：

『皇后！別這樣待我呀，誰無父母，誰無子女，給您的十二阿哥積點陰德吧！妳看！十二阿哥在窗外看著妳呢！』

皇后大驚，本能的就衝到窗前，窗外，什麼人都沒有。皇后大怒，過來，對著紫薇狠狠一踢。

『妳死到臨頭，還在這兒胡說八道！我今天斃了妳，也不過是打死一個丫頭！』

『皇后！妳看！十二阿哥真的在窗外看著妳呢！』紫薇再喊。

皇后又一驚，本能的再抬頭，窗外依然靜悄悄。

『容嬤嬤，給她一點厲害的！』皇后怒喊。

容嬤嬤拿了針，對紫薇渾身亂刺。紫薇喊得更加慘烈了：

『皇后！妳看！十二阿哥真的在窗外看著妳呢！上有天，下有地，種瓜得瓜，種豆得豆啊……』

皇后一凜，被紫薇喊得五心煩躁。

『容嬤嬤！這兒交給妳了！我沒有時間慢慢蘑菇，妳幫我問個清楚！』

『是！』容嬤嬤大聲應著。

皇后就昂著頭，出門去了。

容嬤嬤見皇后一走，就抓起紫薇的手，用一根針，刺進紫薇的指甲縫裡去。

『啊……』

紫薇慘叫著，暈過去了。

皇后剛剛回到大廳，小燕子已經帶著永琪、爾康、爾泰、金瑣等人，衝進門來。

小燕子氣急敗壞的喊：

『皇后娘娘，妳把紫薇帶到那裡去了？妳要幹什麼？請妳把她還給我吧！』

皇后雍容華貴的站在那兒，身後一排的宮女，一排的太監，十分威武。

『什麼事？在我宮裡這樣大呼小叫？格格，妳在漱芳齋裡可以不守規矩，到了我這坤寧宮裡，希望妳維持起碼的禮貌！』

小燕子心急如焚，知道人在屋簷下，不得不低頭，急急的屈了屈膝：

『皇后娘娘吉祥！聽說我房裡的紫薇，被您叫來了！如果問完了話，可不可以把她還給我，我屋裡有一大堆事要她做！缺了她不行！』

皇后好整以暇，慢條斯理的問：

『哦？紫薇嗎？就是那個新來的宮女啊？』

小燕子一股氣往上衝，簡直按捺不住了，大聲說：

『是啊！就是新來的宮女啊！就是被妳「教訓」過的宮女啊……』

永琪怕小燕子把事情鬧僵，急忙一步上前，說：

『皇額娘！還珠格格和這個宮女非常投緣，日常生活，全是這個宮女照顧，如果皇額娘沒什麼事，就把她放回去吧！』

皇后看著永琪，又看看爾康爾泰，心裡更加疑惑。

『一個小小宮女，居然驚動五阿哥和福家少爺，是不是太小題大作了？』

爾康往前一衝，急切之情，已難控制，喘息的說：

『皇后！那丫頭雖然事小，還珠格格事大，整個皇宮，幾乎都知道，皇后和格格不睦，皇后何必再爲一個丫頭，再和格格傷和氣呢？如果皇后肯放回紫薇，我想，格格會感激涕零的！』

皇后見爾康情急，疑惑中更添疑惑，便冷冷說道：

『誰說那個丫頭在我這兒？』

金瑣大急，往前面一衝，喊：

『皇后！明明是妳派人把她叫來了！我親眼看到的，親耳聽到的！怎麼說不在呢？』

皇后大怒：

『妳小小一個宮女，也可以到坤寧宮來撒潑？』回頭大喊：『翠環！給我教訓她！掌嘴！』

小燕子一個飛身，就攔在金瑣前面，厲聲喊：

『誰敢打金瑣！先來打我！』抬頭怒視皇后：『妳有什麼氣，衝著我來好了，要問什麼話，妳問我！放掉我屋裡的人，妳今天不把紫薇還給我，我馬上去告訴皇阿瑪，我不怕把事情鬧大，反正我不守規矩已經出了名了！皇后，妳也要弄得跟我一樣出名嗎？』

爾泰急忙推了推小燕子，對皇后躬身，恭恭敬敬說道：

『皇后！爲了一個小小的紫薇，實在犯不著如此！』

『皇額娘！這實在是件小事，還是不要驚動皇阿瑪比較好！』永琪也說。

『皇后娘娘有什麼話要問，大概也問完了，就讓還珠格格把人帶走吧！』爾康也低聲下氣了。

皇后滿腹疑雲，臉上，卻不動聲色。

『你們真是太奇怪了！我叫紫薇來問問話，值得你們一個個臉紅脖子粗的？何況，那個紫薇，在我這兒只停留了半盞茶的時間，我就讓她回去了！你們都跑到我這兒來吵吵鬧鬧，有沒有回去漱芳齋看看呢？如果不在漱芳齋，在不在令妃娘娘那兒呢？』

『您已經讓她回去了？』小燕子一呆。

『是啊！老早就走了！』

爾康掉頭看爾泰，爾泰低聲說：

『我就說先回去看看，格格已經沈不住氣了！』

爾康便甩袖俯身，急道：

『臣等告辭！』

小燕子也不行禮，已經氣極敗壞對外衝去。

紫薇沒有回漱芳齋，沒有在令妃娘娘那兒，沒有在皇宮任何一個角落。大家找到日落時分，已經斷定紫薇陷在坤寧宮，出不來了。

小燕子跌坐在一張椅子裡，用手蒙住臉，痛哭失聲。

小燕子這一哭，金瑣也控制不住了，跟著痛哭。

『我就是應該跟去嘛！我追在後面，喊著要一起去，可是，那些公公攔著我，不許我去，我就應該什麼都不管，跟定了她才對！』

爾泰安慰金瑣，說：

『妳去了，是多一個人失蹤，對紫薇一點好處也沒有！幸虧妳沒去！』

『皇阿瑪叫我去，我就把紫薇帶在身邊又怎樣？為什麼把她一個人留在漱芳齋？爾康，你殺了我吧，我把紫薇弄丟了……』小燕子哭得傷心。『我得去告訴皇阿瑪，讓皇阿瑪幫我做主！』說著，跳起來就往外跑。

永琪把她抓了回來。

『妳不要這樣激動，商量清楚再行動呀！』

『等你商量清楚了，紫薇就沒命了！』

『妳認為皇阿瑪會為一個宮女，跑去向皇額娘興師問罪嗎？就算他肯去，皇額娘還是咬定人不在坤寧宮，皇阿瑪又能怎樣？要找皇阿瑪，妳就要有證據，紫薇確實陷在坤寧宮才行！否則，救不了紫薇，還會逼得皇后「殺人滅口」！』永琪說。

『殺人滅口！』爾康大震。

『給你這樣分析來，分析去，紫薇是死定了嘛！』小燕子臉色如死。

爾康忽然往衆人面前一站，臉色慘白，意志堅定的說：

『你們聽好，天已經黑了，再等半個時辰，等到天黑透了，我要「夜探坤寧宮」！』

『夜探坤寧宮？』永琪驚喊。

『是！我承認，五阿哥分析得都對！可是，我現在憂心如焚，已經顧不得理智不理智！這樣等下去，我會發瘋！我必須採取主動！我要弄清楚，紫薇在不在坤寧宮？其實，我們都知道，她一定在，只是不知道在那間屋子裡！好在，坤寧宮不大，我去一間一間搜！只要確定紫薇人在坤寧宮，小燕子就可以理直氣壯去找皇上！如果我失手被捕，你們大家，就拚出你們的全力，去求皇上救我和紫薇吧！』

衆人目瞪口呆的看著爾康。

『你一個人去「夜探坤寧宮」，不如我「捨命陪君子」吧！』爾泰吸了口氣。

『要去，不能現在去，要等夜靜更深才行！而且……你們兩個去，不如我一起去！萬一出事，好歹我是「阿哥」，可以罩在那兒！畢竟，沒有人敢把「阿哥」扣上「刺客」的帽子！』永琪說。

『那……我也一起去，人多好辦事！我們看到紫薇，就把她救出來！』小燕子立刻熱烈的喊。

永琪對小燕子正色的說：

『如果妳真的想幫忙，真的想救紫薇，妳就老老實實的待在漱芳齋，什麼事都不要做，等我們的消息！否則，我們大家還要照顧妳，更加手忙腳亂！』

小燕子心裡明白，自己那點兒武功，在高手雲集的皇宮內，實在不算什麼，爲了救紫薇，只好忍耐了。

於是，這天深夜，爾康、爾泰、和永琪穿著一身黑衣，蒙著臉，去了坤寧宮。

由於對地形熟悉，三人又都是武功高手，幾乎沒有碰到什麼障礙，就深入了坤寧宮的內院。三人分開，一間一間的探視，探到後院的密室，爾康從屋簷上倒掛在窗口，就看到紫薇了。紫薇蜷縮在地上，像個蝦米一般，動也不動。爾康一看到紫薇，頓時熱血沸騰，什麼都顧不得了，就想穿窗而入。誰知，倏然之間，賽威和賽廣飛竄出來，揮拳就打。

爾康和賽威很快的交換了幾招，爾泰和永琪聽到聲音，奔來救援。

五人立刻纏鬥起來。賽威、賽廣見來者地形熟悉，身手不凡，招數又非常熟悉，心裡就有些明白了。賽威並不高喊，低聲問：

『來者是誰？是刺客，還是自己人？報上名來！否則，驚動所有侍衛，我就不管了！』

『是好漢，跟我走！』爾康也低語。

賽威賽廣已聽出聲音，心知有異，五個人迅速的來到一個冷僻的角落。

永琪倏然拉開面巾。

賽威賽廣雙膝落地，低喊：

『五阿哥！』

『我特地來找你們兩個，問你們一句話，紫薇怎樣了？』永琪開門見山的問。

『被容嬤嬤用了刑，已經支持不住了！』

爾康一把扯下面巾。

『我敬重你們兩個，都是好漢！這坤寧宮，竟然做些傷天害理的事，我想，你們兩個不會同流合污，也不會自己人打自己人，我現在要去把紫薇救出來，你們兩個，就當沒看見吧！』

『那不成！如果你們要救紫薇，必須把我們兩個殺了！』

爾泰上前，匕首出鞘，一下子抵在賽廣喉嚨上。

『你以爲我們不敢殺你嗎？』

『爾泰！不要衝動！』永琪看二人：『你們只有「忠心」，沒有「是非」嗎？』

『如果我們只有「忠心」，沒有「是非」，在發現你們的時候，就已經大喊出聲，現在，所有大內高手，都早已圍過來了！』

『那麼，你們還刁難什麼？』

『皇后把犯人交給我們看管，如果犯人丟了，我們的腦袋也保不住！五阿哥已經知道紫薇的下落，沒有幾個時辰，天就亮了！何不等明兒一早，來坤寧宮公然要人！那時，要闖入內，賽威賽廣恐怕……抵擋不住！』

『可是，這幾個時辰裡，紫薇會怎樣？』爾康問。

『容嬤嬤早已累垮了，沒力氣再審了！紫薇姑娘暫時沒有危險。』

『你保證？』

『我們保證！我們會「看管」她！』

永琪立即抱拳說：

『兩位壯士，永琪和還珠格格記在心裡了！』回頭看爾康和爾泰：『咱們退！此地不能久留！』

爾康還有猶豫，永琪用力拉了他一下。

『別忘了，這兒是皇宮，你是御前侍衛！快走！』

三人迅速的穿屋越牆而去。

天才亮，乾隆就被小燕子驚動了。

『小燕子，妳又發生什麼事了？臘梅說妳四更天就來了，跪在這裡跪到現在？妳怎麼了？兩個眼睛腫得像核桃一樣？』

小燕子匍匐於地，淚如雨下，泣不成聲的痛喊：

『皇阿瑪！我已經沒有辦法了！請你救救我，救救紫薇，如果紫薇死了，我也活不成！我跟皇阿瑪老實招了，紫薇不是普通的宮女，她是爲我而進宮的！她是我的結拜姐妹呀！當初，我跟玉皇大帝和閻王老爺都發過誓，我要跟紫薇一起活，一起死！現在，我把她害得這麼慘，我真的活不下去呀……』一面說，一面哭得唏哩嘩啦。

乾隆簡直摸不著頭腦，但是，聽到紫薇的名字，就不能不關心了：

『妳慢慢說，慢慢說，朕聽得糊裡糊塗，紫薇怎麼了？』

『昨天，我和皇阿瑪在談功課的時候，她被皇后娘娘帶進坤寧宮，就一直沒有回來了！她被皇后關起來，用了刑，現在，不知道是死是活……』

乾隆心中怦然一跳，皇后帶走了紫薇？想到紫薇，不知怎的，他也不能平靜了。

『妳怎麼知道她被皇后關起來，還用了刑？』

小燕子急壞了，大喊：

『我知道，我知道，我就是知道！皇阿瑪，求求你不要耽誤時間了！五阿哥和爾康爾泰，已經在昨晚「夜探坤寧宮」，親眼看到紫薇被囚……』說著，就用額頭碰地，砰然有聲：『皇阿瑪！求求你！拜託你！只有你才能救紫薇，你看在她跟你徹夜下棋談天的份上，去救她吧！五阿哥、爾康、爾泰、金瑣都在外面等著呢！』

乾隆震動的站起身子。

乾隆衝進坤寧宮的時候，還是拂曉時分。身後跟著小燕子、金瑣、永琪、爾泰、爾康等眾人。

『皇后！』乾隆大喊。

皇后急步走出，見到乾隆，連忙屈膝行禮：

『臣妾恭迎皇上，給皇上請安！怎麼一大早就過來了？』驚看小燕子等人，心中已經有數：

『哦？來人不少！』

『妳把紫薇帶到妳的宮裡，要做什麼？』乾隆盯著皇后，嚴厲的問。

『皇上！一個宮女，也值得您親自跑一趟嗎？』皇后一怔，訝異已極的說。

『只怕我不親自跑一趟，妳不會把人交出來！』

『紫薇那丫頭，說話不得體，行爲不得體，是我把她叫了來，訓斥了幾句，就讓她回去了，怎麼？她不在漱芳齋嗎？是不是化裝成小太監，溜到宮外玩兒去了？』

小燕子一聽此話，就完全失控，發起瘋來。大叫：

『皇后！妳把紫薇怎麼樣了？妳趕快把紫薇交出來！要不然，我和妳沒完沒了，我也不管妳是不是皇后，我也不管妳有多大的權力，我跟妳拚命！紫薇被妳扣在宮裡，已經是千真萬確的事，妳還睜著眼睛說瞎話！』

小燕子一邊嚷著，一邊就怒發如狂，衝到皇后面前，抓著皇后胸前的衣服，一陣亂搖。

『這還像話嗎？反了反了！來人呀！』皇后大喊。

賽威賽廣衝了出來，和永琪爾康電光石火般的交換了一個眼光。

小燕子什麼都不顧了，拚命搖著皇后，大喊大叫：

『紫薇不會武功，說話連大聲都不會，妳還說她這個不得體，那個不得體，妳是安心要弄死我們！放她出來！紫薇少一根頭髮，少一根寒毛，我都要妳的命……放她出來！再不放，我跟妳同歸於盡！』

小燕子喊著，就整個撲在皇后身上，雙雙滾倒於地，小燕子就去勒皇后的脖子。

『不可以！』賽威大喊。

賽威賽廣往前撲，爾康和爾泰同時出手，擋開賽威賽廣，拉起小燕子，乾淨俐落。賽威賽廣便被逼後退。

皇后跌在地上，驚得面無人色。早有宮女太監奔去扶起。

這樣一片混亂，看得乾隆目瞪口呆，此時，爾康喊：

『皇上！救人要緊！』

乾隆一步上前，怒聲喊：

『朕已經知道紫薇在坤寧宮，不要推三阻四了，鬧成這樣子，成何體統？趕快把人交出來！』

皇后怒不可遏。

『皇上一清早，就帶著這個沒規沒矩的格格，來我這兒大吵大鬧，又動手，又動口，難道還是臣妾有失體統嗎？』

『妳身爲皇后，居然囚禁宮女，動用私刑！現在，朕親自來跟妳要人，妳還扣住不放，妳是不是連朕也不放在眼睛裡了？』

『皇上有什麼證據，說紫薇在坤寧宮？』皇后挺了挺背脊。

『皇后這麼說，紫薇不在坤寧宮？妳敢指天誓日的說一句，紫薇確實不在？如果所說是假，皇后犯法，與庶民同罪！』乾隆疾言厲色。

皇后話鋒一轉：

『好吧！就算紫薇在坤寧宮，紫薇不過是個宮女，我跟格格要了這個宮女，留在身邊侍候我，可以嗎？』

乾隆大怒：

『一個皇后，說話出爾反爾，做事跋扈囂張，簡直可恨！』

皇后面無血色，不敢相信的看著乾隆：

『皇上！難道臣妾今天的地位，還不如一個宮女嗎？您怎能用這種話來說我？』

乾隆不由自主，竟引用了小燕子的話：

『宮女也是人，宮女也有爹娘，也是人生父母養的！所謂「皇后」，正應該「母儀天下」！妳的「母儀」在那裡？妳不知道「老吾老以及人之老，幼吾幼以及人之幼」嗎？如果妳不能勝任當一個「國母」，這個「皇后」的位子，妳不如讓賢吧！』

皇后大震，連退了兩步，張口結舌，竟嚇得說不出話來了。

乾隆便厲聲再喊：

『還不趕快把紫薇交出來！』

皇后心一橫。

『臣妾要爲皇上除害，不能把紫薇交出來……』

乾隆大怒，回頭喊：

『爾康！爾泰！永琪！你們去把紫薇搜出來！』

爾康、爾泰、和永琪巴不得有這樣一句，便大聲應著『遵旨』，衝進後面去了。

爾康三人，衝進密室的時候，只見到容嬤嬤帶著三個老嬤嬤，正在對紫薇用刑，她們居然『日出而作』，氣得三個人都血脈僨張。

爾康一聲大吼：

『該死的老巫婆，居然還在用刑！』就飛撲上前，踢翻了容嬤嬤，一看旁邊的刑具，氣得鼻子裡都冒煙了，抓起一把金針，就對容嬤嬤肩上一插。『妳這個混蛋！妳這個沒有人心的魔鬼！讓妳自己嚐嚐這是什麼滋味！』

容嬤嬤倒在地上，痛得打滾，殺豬似的叫了起來：

『哎喲！皇后娘娘……快救命啊……』

爾康看到蜷縮成一團的紫薇，心都震痛了，顧不得容嬤嬤，就忘形的撲過去，一把抱住紫薇，痛楚的喊：

『紫薇！對不起，我來晚了！』

紫薇看到爾康，淚水潸潸而下。

容嬤嬤還在殺豬似的慘叫，爾泰上前，劈手就給了容嬤嬤好幾個耳光。

『還敢叫？這種歹毒的老太婆，不如殺了！』哐啷一聲，拔出匕首。

容嬤嬤大驚，嚇得發抖，跪在地上，拚命磕頭。

『饒命！饒命啊！福少爺，我知錯了！』尖叫：『五阿哥！救命啊……』

永琪早把其他嬤嬤一一踢翻在地。衆嬤嬤全跪在地上，磕頭如搗蒜。永琪喊：

『爾泰！要殺她，不能在這兒殺！先救紫薇要緊！這個老太婆，隨時可以收拾！皇阿瑪還在外面等著呢，不要耽誤時間了！』

爾泰心有不甘，一揮手，將容嬤嬤髮髻一刀削掉。

髮髻落地。容嬤嬤以爲自己的頭割掉了，咕咚一聲，暈倒在地。

爾泰拎著她背脊的衣服，拖了出去。

『我不殺她，有人會殺她！讓皇上發落！』

爾康已經抱起紫薇，往外大步走去。

當爾康抱著披頭散髮，狼狽不堪，臉色蒼白的紫薇走出來時，乾隆震驚極了。永琪和爾泰跟在後面。爾泰還拖著一個沒有髮髻的容嬤嬤。

『皇上！紫薇救出來了！已經受過嚴刑拷打，遍體鱗傷！』爾康喊著。

小燕子和金瑣，一看到紫薇這樣子，心都碎了，兩人尖叫著撲上前去：

『紫薇！紫薇！我害死妳了……我真該死！真該死！』

『他們把妳怎樣了？怎麼會弄成這樣啊……妳的傷在那裡？我能不能碰妳呀？』

紫薇知道乾隆在，便掙扎著要下地。爾康也不便一直抱著紫薇，就小心翼翼的把她交給小燕子和金瑣。小燕子和金瑣，一邊一個，去扶住紫薇。

紫薇東倒西歪的倚在兩人懷裡，好生淒慘。

乾隆大步上前，不敢相信的看著紫薇。震動而心痛。

『紫薇，妳那裡受傷了？』

紫薇抬眼見到乾隆，就掙扎著要站穩，無奈渾身一點力氣都沒有。在小燕子和金瑣的扶持下，好不容易，搖搖晃晃站著，她還試圖跪下。可是，一個頭暈眼花，力不從心，就倒在金瑣和小燕子懷裡。

『皇上，紫薇不曾受什麼傷……』她勉强的説著。

乾隆看著那張又是汗，又是淚的臉孔，心裡實在吃驚。

『弄成這樣，還説不曾受什麼傷！妳儘管説，誰打了妳？怎麼打的？用什麼東西打的？妳説！不要怕！朕爲妳做主！』

皇后見到紫薇救出，心裡害怕，向前邁了一步。

『皇上……』她喊著，聲音裡已有怯意。

乾隆震怒的抬頭，掃了皇后一眼，厲聲説：

『朕在問紫薇，皇后請不要插嘴！』

這時，爾泰將容嬤嬤拖到乾隆面前，一擲而下。

『皇上，我把這個劊子手捉來了！』

容嬤嬤被這樣一摔，醒過來了，睜眼一看，差點又要暈倒，跪地慘叫道：

『萬歲爺饒命！萬歲爺……奴才不敢了……奴才再也不敢了……』

乾隆怒瞪著容嬤嬤，對皇后所有的怒氣，全部轉移到容嬤嬤身上。

『妳這個下流東西！就是妳在興風作浪！如此對待一個弱女子，太可惡了！』回頭大喊：

『賽威！賽廣！把她拖出去斬了！』

『遵旨！』賽威賽廣大聲應著，便來拖容嬤嬤。容嬤嬤魂飛魄散，尖叫：

『皇后……皇后……』

皇后此時，心膽俱裂，再也顧不得皇后的形象，噗通一聲，對乾隆跪下了。

『皇上！請手下留情！容嬤嬤是我的乳娘，等於是半個親娘！皇上請開恩！』

『妳現在要朕開恩了？容嬤嬤不過是個奴才，一個罪大惡極的奴才，我殺一個奴才，妳也會捨不得嗎？』

皇后落淚了。

『臣妾知錯了！請皇上網開一面！這些年來，臣妾雖在坤寧宮，長日無聊，多虧容嬤嬤悉心照顧，沒有功勞，也有苦勞！請看在你我夫妻情份上，放她一馬吧！』

皇后一句『長日無聊』，乾隆心中一震，也有惻隱之心，但盛怒難減。

『妳的奴才，妳知道憐惜，小燕子的人，妳爲什麼不能憐惜？什麼叫推己及人，妳不知道嗎？』

『臣妾知罪了！』皇后委曲求全。

乾隆便厲聲說道：

『容嬤嬤！朕把妳的人頭，暫時記下！如果再有任何差錯，再去漱芳齋找麻煩，妳就必死無疑！』

『奴才謝皇上恩典！謝皇上恩典！』容嬤嬤匍匐於地，渾身顫抖。

『死罪雖然免了，活罪難逃！賽威，賽廣，把她拖出去打二十大板！』

『喳！』

賽威賽廣便拖著容嬤嬤出去。

皇后眼睜睜看著容嬤嬤被拖走，什麼話都不敢再說。

乾隆見容嬤嬤拖下去了，就轉頭看著紫薇。

『紫薇，除了容嬤嬤，還有誰對妳用刑？為什麼對妳用刑？』

紫薇在金瑣和小燕子的左右攙扶下，跪在地上，搖搖晃晃的給乾隆磕了一個頭。

『回皇上，没有了，請皇上不要追究了！皇后教訓奴才，是天經地義，皇上不追究，就是紫薇的福氣了……』

紫薇說到這兒，眼前一黑，竟暈了過去。

小燕子抱住紫薇，淚如雨下。慘烈的喊：

『紫薇！紫薇！妳不要死，妳死了我跟妳一起死！』

乾隆又驚又急又痛，連聲喊：

『趕快送她回漱芳齋！馬上傳太醫！快！快！快！』

紫薇躺到漱芳齋的床上，人就清醒過來了。

漱芳齋一陣忙亂，太醫來了好幾位，令妃也趕來了。明月、彩霞、小鄧子、小卓子和諸多宮女太監，忙忙碌碌，跑前跑後。倒水的倒水，擦拭的擦拭，先幫紫薇弄乾淨，清理更衣。然後，太醫們診治的診治，抓藥的抓藥，煎藥的煎藥，上藥的上藥……又忙了好一陣子，才把紫薇弄定了。終於，紫薇躺在床上，換了乾淨衣裳，梳洗過了，傷口都上了藥，覺得自己又活過來了。

乾隆居然親自到床前來看紫薇。

金瑣和小燕子看到乾隆，便屈膝請安。小燕子眼眶一紅，委屈萬分的喊了一句『皇阿瑪』，眼淚就簌簌直掉，哽咽難言。

紫薇蒼白如死，見乾隆親臨，受寵若驚，急忙想起床。

『皇上！』

乾隆一伸手，將紫薇身子按在床上。

『這種時候，不要多禮了！』凝視紫薇：『令妃都告訴我了，是用針扎的？嗯？聽說渾身都是針孔？疼極了，是嗎？』

這麼溫柔的語氣，這麼關心的眼神，紫薇好感動，眼中立即充淚了。

『謝皇上關心，不疼了！』

乾隆點點頭：

『疼得臉色都像白紙一樣，還說不疼？』

『有皇上和令妃娘娘這樣關愛，又請太醫，又賜藥，又殷殷垂詢，真的不疼了！』紫薇哽咽的說。

乾隆心中一抽，憐惜之情，不能自已。

『皇后為什麼對妳動刑？剛剛在坤寧宮，妳不說，現在，可以說了！』

『請皇上不要追究了！』紫薇在枕上磕頭。

『妳儘管說，沒有關係！』

紫薇看著乾隆，眼光誠誠懇懇，聲音溫溫婉婉：

『皇后貴爲國母，無論怎樣教訓我，都有她的理由和權利。皇上，家和萬事興，犯不著爲了小小一個丫頭，鬧得宮內不寧！皇上已經罰過容嬤嬤，夠了！』

『話不是這樣說，萬一鬧出人命，怎麼辦？而且，這皇宮，是多麼高貴寧靜的地方，是朕的家呀！居然在皇宮裡動用私刑，這像話嗎？』

紫薇見乾隆發怒，就含淚不語。小燕子在一邊，再也熬不住，落淚嚷：

『皇阿瑪！這還有什麼好問的？皇后就是看我這個漱芳齋不順眼，沒辦法除掉我，就欺負我房裡的人！皇阿瑪，你那麼忙，我們不能一出事就找你，今天是紫薇命大，您在宮裡，如果您不在宮裡，紫薇大概就被弄死了！』

乾隆抬頭看小燕子，嘆口氣：

『妳放心，朕已經吩咐爾康，調侍衛來保護妳們，以後，坤寧宮叫傳，先告訴朕，朕爲妳們做主，不會再發生類似的事了！』

令妃便上前說道：

『皇上，請回宮去休息吧！這兒，有小燕子她們照顧著，爾康、爾泰保護著，應該不會再出問題了！』

乾隆看著紫薇，看了好一會兒。憐惜一嘆，說：

『紫薇，妳好好休養，想吃什麼，儘管叫廚房去做！妳今天受了委屈，妳雖然不肯說，朕心裡也大概明白！妳一句「家和萬事興」包涵了千言萬語，朕也瞭解了！妳不要怕，傷好了，朕再來跟妳下棋！』

乾隆說得如此委婉，紫薇感動得淚如雨下，在枕上拚命磕頭。嘴裡，重複的說：

『謝皇上……謝皇上……謝皇上……』

『看樣子，朕不離去，妳也沒辦法休息！令妃，走吧！』乾隆體貼的說。轉身離去。

一屋子的人忙著恭送。

乾隆剛走，爾康進來了。

小燕子一看到爾康，就揮手要大家全體出去，一面對爾康說：

『不要談太多了，太醫說，她需要休息！我和金瑣在門口守著，不會讓人進來！』

『謝謝妳！』

金瑣過來，對爾康屈了屈膝，低低的叮囑：

『她很痛，到處都痛，你跟她談談，或者可以止痛！就是，千萬別說要帶她出宮去，皇上親自慰問，她感動得要命，什麼力量都沒辦法讓她離開了，你如果又說要帶她走，那會讓她更痛的！』

爾康一怔，對金瑣拚命點頭：

『我知道了！』

小燕子就和金瑣匆匆出門去。

爾康奔到床前，見紫薇仍然蒼白如死。他在床前坐下，把紫薇的手抓了起來，緊緊的放在胸口。兩眼熱烈而痛楚的凝視著她，半晌，一句話都說不出來。

紫薇眼中含淚，過了片刻，反而是紫薇先開了口。

『都過去了，好在，有驚無險。』她安慰著爾康。

『有驚無險？妳已經遍體鱗傷，還說有驚無險？我……』搖頭，咬牙：『我會爲妳心痛而死！』

『不要這樣，你這麼難過，我會因爲你的難過，而更加難過的！』

『我知道不該讓妳更加難過，可是，我真的沒辦法不難過！我怎麼樣都沒想到，會發生今天這種事！我覺得自己真該死！真沒用！居然沒有力量保護妳！看到妳這樣，我又沒有辦法替妳痛，我真的好後悔！』

『我知道，我都知道！』紫薇含淚看爾康，勉强的擠出一個軟弱的笑。『不要爲我難過，皇上因此而注意我，我是因禍得福了！』

『傷成這樣，妳還這麼說！身上到底有多少傷口？除了針，還有沒有別的？』

『沒有關係！你來了，這樣守著我，看著我，我知道你對我的疼惜，知道你比我還痛！夠了，我心裡很溫暖，很感動。受一點小小的傷，發現自己被這麼多人珍惜著，這點傷，其實是一種幸福！不要後悔，我覺得好興奮啊！皇上爲我，親自去坤寧宮，親自送我回來，爲我宣太醫，還要令妃娘娘來照顧我，還對我問東問西，我已經受寵若驚，我高興都來不及啊！』

『妳是陷在這個「父女相認」的漩渦裡，不準備出來了！』爾康凝視她。

『我義無反顧，不準備出來了！』紫薇堅決的說。

『皇后到底爲什麼拷打妳？』爾康疑惑的問。

『她要我說出和你家的關係，和五阿哥的關係，和令妃娘娘的關係……她以為，我是你們大家設計的「魚餌」，在「勾引」皇上！』

爾康震動極了。

『天啊！我們趕快把真相說出來吧，不要再拖了！』

『不行啊，我還一點把握都沒有，你說過不能急！』

『可是，我太害怕太害怕了！今天這種事情，如果再發生一次，我都沒有把握自己會不會失去理智，做出瘋狂的事情來！我真的為妳神魂顛倒，心驚膽戰。妳那麼堅強，又那麼脆弱，我不知道怎樣才能保護妳！怎樣才能把妳揣在口袋裡，帶在身邊，讓妳遠離傷害！』爾康擔憂已極，憐惜已極的說，眼睛都漲紅了。

紫薇就伸手輕觸著爾康的面頰，柔聲說：

『我不痛了，我真的一點都不痛了！』

『可是……我好痛！』

爾康就捉住她的手，送到唇邊去吻著。

紫薇蒼白的臉，終於漾出了紅暈。

19

紫薇的傷，其實一點都不嚴重，休息了幾天，就恢復了元氣。乾隆和令妃，又賞賜了無數的補品，什麼靈芝人參當歸熊膽……一件件搬到漱芳齋來，給紫薇進補。因此，十天過後，紫薇不但神清氣爽，而且面頰紅潤，精神抖擻。

這天風和日麗，雲淡風清。

小燕子興沖沖的站在院子裡，手裡掄著一條九節鞭。紫薇和金瑣，笑吟吟的看著她。明月、彩霞、小鄧子、小卓子全都圍繞著，看小燕子表演。

『紫薇，妳的身體完全好了，我要開始教妳武功了！金瑣、明月、彩霞、小鄧子、小卓子，你們通通要學！我現在才知道，不會武功真的不行！我這個漱芳齋，必須要想出保護自己的辦法，那就是，人人會武功，個個是高手！』

『妳要我學那個東西，我是絕對不行的！』紫薇笑著說。

『什麼絶對不行？妳看，我都學了〈禮運大同篇〉，都唸了四書，還學作詩！還要天天練字！如果我可以做那些事，妳就可以練武！來來來！』小燕子興致勃勃。

『妳饒了我吧！我真的沒辦法！』紫薇躲開，笑著。

『金瑣！妳第一個來練，妳責任重大，下次紫薇再被人帶走，被人欺負，就是妳的事！』小燕子轉移目標，喊著。

『我？』金瑣愕然的問。

『是是是！妳們不要拖拖拉拉了，每一個都要練就對了，那有只會挨打不會還手的人，氣死我了！』小燕子大叫。

金瑣想到紫薇被欺，義憤填膺起來，下決心的說：

『好好好！我練！我練！』

小燕子舞動九節鞭，一陣虎虎生風。邊舞邊説：

『這樣揮出去，這樣收回來，手腕要有力，馬步要踩得穩，動作要靈活，鞭子要舞得活絡……』說著，就呼呼呼的舞了一陣，把鞭子交給金瑣。

金瑣學著小燕子，拿著鞭子，軟綿綿的一鞭揮去，嘴裡跟著喊：

『這樣揮出去，這樣收回來……這樣揮出去，這樣收回來……』

不料，那條鞭子竟完全不聽指揮，每一節都能自由活動，呼啦呼啦幾下，竟然打到金瑣自己的頭上，髮簪也掉了，耳環也掉了。金瑣急忙要收回鞭子，手忙腳亂之餘，噼哩叭啦的打在小燕子身上頭上。

小燕子一邊跳著躲鞭子，一邊著急的大喊：

『金瑣！妳這是幹什麼？是打敵人還是自殺呀？妳把那棵樹想成妳的敵人，對那棵樹招呼過去，不要打我，不要打妳自己呀……』

金瑣揮著那根完全不聽話的鞭子，打得自己簪飛髮散，打得小燕子跳來跳去，看得衆人目瞪口呆。

『不對不對！』金瑣喘吁吁的喊：『這根鞭子有點邪門，它像一條蛇一樣，是活的！它根本不聽我的話，它高興往那兒繞就往那兒繞，我拉都拉不住它！』

『胡說！什麼鞭子邪門？這九節鞭有九節，妳不要用「蠻力」，要用「巧勁」，只要勁用對了，每一節都會發生作用，指東打西，好用得不得了！妳用點力氣呀！這不是紡紗，不是繞棉線，不是繡花呀！用力！再用力！速度快一點！呼啦……揮出！呼啦……收回！』

金瑣拚命學習，嘴裡也依樣葫蘆的大喊：

『呼啦……揮出！呼啦……收回！』

金瑣這一呼啦，鞭子竟叭的一聲，打到旁觀的小卓子臉上。小卓子大叫一聲，往後就退，竟然『砰』的一聲，把小鄧子撞倒在地。金瑣急忙收鞭，又波及明月彩霞，人人被打得東倒西歪。

金瑣好不容易才收住鞭子，忙著對大家道歉：

『哎呀！哎呀！你們怎樣？我不是故意的！』

小卓子、小鄧子爬起身子，哎喲亂叫。明月、彩霞揉手的揉手，揉頭的揉頭，呻吟不已。

『金瑣，等妳的功夫練好了，我們大概人人受傷了！』小鄧子喊。

『我看，不止受傷，能不能保命是個大問題！』明月說。

『求求妳，可以了，拜託妳別練了！』小卓子對金瑣直拜。

『這鞭子怎麼專打自己人呢？那棵樹站在那兒動也沒動，閃也沒閃，妳就打不到？』彩霞問。

大家你一言，我一語，紫薇忍俊不禁。

『小燕子，妳正經一點，就拿根棍子教教她好了！教什麼九節鞭？』紫薇說。

『對對對！妳先從「一節鞭」教起，我們一步一步來！』金瑣急忙應著。

『那有什麼「一節鞭」？我聽都沒有聽說過！』小燕子生氣。

『那……我還是不要學了！』金瑣對小燕子苦著臉說。

『不行不行！為了保護紫薇，妳非學不可，沒有那麼難！來來來，我再示範一次給妳看！』

小燕子接過九節鞭，呼呼呼的又舞了起來，大家拚命給她鼓掌，叫好。

小燕子聽到大家叫好，不禁得意洋洋，越舞越高興，嘴裡嚷著：

『看到沒有，鞭子可以向前，向後，向左，向右，向上，向下揮動……手腕一定要有力……鞭子這樣出去，嘩啦一下，就勾住對方的脖子，呼嚕一下，就把敵人勾到面前，然後鞭子這樣一摔，打得他落花流水……』

小燕子一邊說，一邊舞著鞭子，誰知，表演得太賣力了，一個『落花流水』之後，那鞭子竟然脫手飛去，高高的掛在一棵松樹上面了。小燕子大驚，說：

『嘩！這鞭子被金瑣帶壞了，怎麼不聽話？叫它回來，它往外走！』就回頭喊：『小鄧子！給我把鞭子拿回來！』

『啊？拿回來？』

小鄧子就跑到樹下，抬頭看著那棵樹，一籌莫展。

大家全都來到樹下。

『太高了，恐怕要去找一個梯子來！』紫薇說。

『什麼梯子，我用輕功就上去了！』

小燕子飛身上竄，伸手去撈鞭子，奈何無處落腳，鞭子仍然卡在兩根樹椏中。

小燕子不相信自己的輕功竟然那麼爛，再飛一次，松枝勾住頭髮，把髮簪都扯掉了。紫薇看得心驚膽戰，連忙阻止：

『好了，妳不要再跳了，危危險險的，待會兒又撞了頭！金瑣，那兒有梯子？』

『這麼高的梯子，那兒有？』

明月異想天開，提議：

『小鄧子，我們來疊羅漢，試試看搆得著搆不著！』

『對對對！疊羅漢！大家趕快疊羅漢，給我把鞭子拿下來！』小燕子喊。

於是，一群人就跑到樹下去疊羅漢，小卓子在最下面，小鄧子站在他肩上，明月危危險險的爬上小鄧子的肩，彩霞抱住小卓子往上攀，大家還沒爬到一半，一個站不穩，尖叫著全體摔落地。

『好了好了！不要疊羅漢了，這個辦法也行不通！』紫薇忙叫。看著大家：『你們沒有一個人會爬樹嗎？』

小燕子恍然大悟：

『對呀！爬樹就行了嘛，真笨！』就命令大家：『爬上去！爬上去！』

小燕子以身作則，第一個往上爬，小卓子、小鄧子跟著往上爬。

紫薇、金瑣、明月、彩霞全仰著頭觀看。

大家爬得氣喘吁吁。

正在這緊緊張張的時刻，爾康爾泰過來了，見狀大驚。

『你們這是在幹什麼？爲什麼都爬在樹上？』爾康問。

小燕子抱著一根樹枝，危危險險的掛在那兒，拚命伸手去搆九節鞭，嚷著說：

『別吵別吵，我就快搆著了！』

爾泰看得心驚膽戰：

『妳小心一點啊！別摔下來啊！』

『喂喂，誰要告訴我，這是幹嘛？』爾康驚奇極了。

『就是要拿那根鞭子嘛！』紫薇說。

『拿鞭子啊？』

爾康就輕輕鬆鬆的一躍，姿態優美的飛身而上，取下鞭子，翩然落地。

小燕子還掛在樹上，瞪大眼睛嚷：

『你就這樣拿下去了？』

『是！』爾康喊著：『妳快下來吧，皇上要妳和紫薇到御花園裡去賞花！五阿哥已經去了，快走！別讓皇上等妳們！』

小燕子聽到皇上傳喚，這才跳下了地。大家也不練九節鞭了，趕快整衣梳妝，去見皇上。

乾隆看到神清氣爽的紫薇，心裡好生安慰。

『紫薇，妳身上的傷，完全好了嗎？』

『回皇上，完全好了！』

花園中，姹紫嫣紅，繁花如錦。乾隆看著小一輩，小燕子活潑，紫薇沈靜，永琪俊朗，爾康儒雅，爾泰瀟灑，幾乎個個郎才女貌，不禁欣悅。心裡想著令妃的暗示，小燕子不小了，和福家兄弟又走得很近，不知道該許給爾康好？還是許給爾泰好？就對小燕子和福家兄弟，多看了兩眼。

『好極了！今天把你們找來，是因爲，朕想「微服出巡」了！小燕子，紫薇，妳們是不是真的也要去？』

小燕子一聽，興奮得不得了，衝口而出的叫：

『當然真的了！最近，我們好倒楣，皇阿瑪帶我們出去走走，說不定我們的楣運就過去了！』

『朕不明白，妳的楣運，跟出門有什麼關係？』

『當然有關係了！人逢喜事精神爽嘛！出門就是喜事，有了喜事精神就爽，精神一爽，楣運自然不見了！』

『妳那麼愛出門，朕看妳是「女大不中留」，年紀到了！看樣子，得給妳找婆家了！』乾隆笑著說，眼光在小燕子身上轉來轉去。

小燕子大驚，腳下一絆，差點摔了一跤。紫薇急忙扶住。

爾泰和永琪互看，兩人都有些緊緊張張。

『小燕子，妳怎麼了？聽到找婆家，樂得站都站不穩？』乾隆打趣。

『皇阿瑪，別開這種玩笑了，嚇得我差點暈倒！我這種人，沒有婆家要的啦！您千萬別費這個心！』小燕子嚷。

『怎麼會沒有人要呢？』就抬頭，有意無意的看著爾康。『爾康！把還珠格格指給你，如何？要不要？』

爾康大驚，還來不及反應，小燕子一個踉蹌，『砰』的一聲，就跌倒在地。

紫薇慌忙去扶，手忙腳亂，被小燕子一拉，也一屁股坐倒在地。

宮女們忙著去攙扶兩人。

爾康、爾泰、永琪看著摔倒的兩人，個個都有心事，顯得緊緊張張。

乾隆驚奇，瞪著小燕子和紫薇。

『妳們兩個是怎麼回事？』

兩人站起身來，都有一些狼狽。小燕子揉著膝蓋，抬頭看乾隆，抗議的說：

『皇阿瑪，這種事情，您老人家不跟我私下商量嗎？我好歹是個姑娘家嘛，這樣一問，如果人家不要，我的面子往那兒擱？我知道您喜歡爾康，可是，人要忠厚一點，別害人家嘛！』

『什麼忠厚一點？妳說的話，朕聽不懂，怎麼會害人家呢？』乾隆驚愕。

『您跟誰有仇，再把我許給他吧！沒有仇，就饒了人家吧！那個娶了我，那個就是倒楣蛋！』

『哦？妳對自己，評價這麼低呀？』乾隆瞪著小燕子。

『皇阿瑪！快別開玩笑了，我們言歸正傳，談談「微服出巡」的事好不好？您準備化裝成什麼人？我們去那兒？』小燕子急忙轉話題。

乾隆一笑，便丟開了那個問題，看大家。

『爾康，你的計劃是怎樣？』

爾康看著紫薇出神，竟然沒有聽到。爾泰急忙撞了爾康一下：

『你想什麼？皇上在問你話，問你對「微服出巡」的計劃是怎樣？』

爾康這才回過神來，慌忙看乾隆，勉强整理自己零亂的思緒。乾隆見他魂不守舍，誤會了，笑吟吟的看著他。

『回皇上，我想，還是化裝成商人比較好，皇上是「老爺」，五阿哥是「少爺」，我跟爾泰，是隨從，還珠格格跟紫薇，是丫頭！紀師傅還是師傅，阿瑪、傅六叔、鄂敏是伙計，大家跟老爺去收帳，並且一路遊山玩水！這樣，您身邊除了紀師傅，都是武將，就不用再帶很多侍衛，引人注目了！』想了想：『恐怕還要加一個人，胡太醫！以備不時之需！』

『好！就是這樣！你想得非常周到！』乾隆就抬頭看小燕子：『那麼，小燕子，妳把「古從軍行」背給朕聽聽！』

『「古從軍行」啊？』小燕子一怔。

『怎樣？不是講好條件的嗎？』

『可是，我還沒有背，最近好忙，沒時間唸！可不可以不背呢？』小燕子說。

『不背？那就不能跟朕出門！』乾隆一本正經。

『那……明天，明天再背，好不好？我馬上回去唸！』小燕子急了。

『好！明天！一言爲定！』

逛完御花園，三個臭皮匠，就聚集在永琪書房裡開『緊急會議』。

『我們三個，一定要好好的研究一下了，我覺得，現在情況複雜，隱憂重重，我真的擔心得不得了！你們聽皇上今天那個口氣，萬一紫薇還來不及稟明身份，皇上就來個亂點鴛鴦譜，那要怎麼辦？』爾康緊張的對爾泰和永琪說。

永琪心事重重，也是一臉的焦急，在室內兜圈子。

『是啊！現在所有格格裡，就是小燕子和你年齡相當，皇阿瑪看到小燕子和福家走得那麼近，一定誤會了！今天明擺在那兒，就是刺探我們一下！』

爾泰瞪大眼睛，憤憤不平的說：

『皇上每次就想到爾康，總是把我這個做弟弟的忽略掉！要指婚，也不一定指給爾康呀，指給我不是皆大歡喜嗎？你們不要急，改天我跟皇上稟明心跡，讓皇上把小燕子指給我，解除爾康的危機！』

永琪手裡的摺扇，『啪』的一聲掉落地。瞪著爾泰，結舌的問：

『什麼心跡？什麼心跡？爾泰，你什麼時候和小燕子有這個……有這個……默契的？』

『什麼默契?』爾泰一股天真狀，拾起扇子，交給永琪：『爾康有難，做弟弟的不挺身而出，那要怎麼辦?小燕子總不能先搶了紫薇的爹，再搶紫薇的心上人吧!』

爾康想了想，越想越高興。

『好好好!就這麼辦!爾泰，要說就得快!小燕子嫁了你，大家還是一家人，這樣好!她和紫薇從姐妹變成妯娌，這一輩子就再也不用分開了，我想，小燕子也會喜歡的，這樣再好也不過了!』就對爾泰作揖：『謝謝!』

永琪這一下急壞了，跳腳說：

『好什麼好?你們把我都忘了是不是?』

爾泰瞪著永琪，看了好一會兒，大叫說：

『五阿哥!我總算把你心裡的話給逼出來了!』

『五阿哥!你不行啊!你是小燕子的兄長啊!』爾康驚看永琪。

永琪一陣煩躁：

『現在，我們不是在努力讓她們各歸各位嗎?等到她們各歸各位的時候，我就不是兄長了呀!事實上，根本就不是兄長嘛!我和她，一點血緣關係都沒有!就因爲我知道不是兄長，才沒有約束自己的感情！』

『這有點麻煩！』爾泰凝視永琪。

『什麼麻煩？』永琪更加煩亂。

『除非你用阿哥的身份，命令我不加入戰爭，否則，我們只好各憑本領！』爾泰一本正經的說。

『爾泰！』永琪喊，臉色一沈。

爾康看看永琪，又看看爾泰，傷腦筋的喊：

『你們認為現在的狀況還不夠複雜是不是？你們兩個還這樣攪和！』

永琪漲得臉紅脖子粗，一臉的汗，痛苦的看著爾泰，啞聲問：

『爾泰，你是認真的嗎？』

『當然認真！窈窕淑女，君子好逑！你不是唯一的君子！』爾泰瞪大眼睛。

永琪呆了半晌，心裡掙扎。在室內像困獸般兜了好多圈子，最後，往爾泰面前一站，幾乎是痛苦的說：

『爾泰，你明知道我沒辦法用阿哥的身份來命令你！這些年來，我們情同手足，這份友誼，對我而言，實在太珍貴了！』就一咬牙：『好！我退出！只有你去表明心跡，才會快刀斬亂麻！我，就死了心，認了命，當這個莫名其妙的兄長吧！』

爾泰感動極了，凝視著永琪：

『五阿哥，謝謝你這幾句話，對我也太珍貴了！但是，這樣的割捨，你會不會很心痛呢？』便對永琪嘻嘻一笑：『既然和你情同手足，我怎麼忍心奪人所愛呢？』

永琪一震，盯著爾泰。

『你是什麼意思？』

爾泰就就對永琪誠摯的說：

『有你這一番話，我就心甘情願做你的跟班了！事實上，我老早就知道你對小燕子的感情，老早就退出了戰爭！因爲，我發現，小燕子只有對你說話的時候，才會臉紅！』

『是嗎？』永琪驚喜：『她跟我說話的時候會臉紅？那代表什麼？』

『我不知道那代表什麼！我只知道，如果她會爲我臉紅，我不會把她讓給你！』

『爾泰，你是誠心說這些？不因爲我是阿哥？』永琪眼睛發亮了。

『我是誠心的，不因爲你是阿哥！好了，我們把混沌的感情局面先弄清楚，再來商量以後的大事！』爾泰說。

永琪大喜，伸手猛拍著爾泰的肩。

『爾泰，承讓了！我會謝你一生的！』

爾康瞪著兩人，煩惱得一塌糊塗。

『你們不要謝來謝去了，我聽得更煩了！五阿哥，你這是一個遙遠的夢！想想看，她現在是還珠格格，跟你有兄妹的名份，什麼都不能談！如果有一天，她不是還珠格格了，她就是平民女子，你貴爲阿哥，皇上怎麼會讓你配一個平民女子呢？除非你收她作個小妾！可是，小燕子雖然出身貧寒，言談之間，對女子的權利，非常維護，恐怕不是甘願作小老婆的人！』

永琪傻住了，痛苦的說：

『是啊！這是一個遙遠的夢！』

『有夢，總比沒夢好！不是有成語說「美夢成真」嗎？大家走著瞧吧，焉知道美夢不會成真呢？』爾泰鼓勵大家。

『這一下，要皇上不亂點鴛鴦譜，更難了！』爾康嘆氣。

『我還發現一件事，覺得非常危險！』永琪想到什麼，看著爾康。

『什麼事?』

『紫薇表現得那麼好，皇阿瑪顯然已經太喜歡她了!我們都知道她是皇阿瑪的骨肉，紫薇自己也知道。可是，皇阿瑪並不知道!』

爾康倒進一張椅子裡，大大的呻吟了一聲。

『這正是讓我膽戰心驚的事啊!不行不行，我們一定要馬上把真相說出來!』

『不能「馬上」說!小燕子現在樹大招風，敵人太多!一個不小心，她就會腦袋搬家的!皇額娘一定會把國法家法，通通搬出來，置她於死地!我們要想個法子，讓小燕子和紫薇，雙雙拿到一個皇上的特赦令，準她們兩個無論犯了什麼錯，都免於死罪!然後再說出真相!』永琪說。

『這個「特赦令」，那有這麼容易!皇上從來没有發過這種命令!』爾康喊。

爾泰深思起來，眼睛裡燃著光彩，聲音裡充滿信心:

『唔，不一定很難，這次「微服出巡」，就是一個機會!大家朝夕相處，如果她們兩個表現得好，我們乘機打邊鼓，說不定會成功!我覺得，紫薇和小燕子都各有工夫，讓皇上不喜歡都難!有希望!有希望!』就充滿信心的看永琪和爾康:『你們兩個，是「關心則亂」，我現在最超然，最理智，你們聽我的，没錯!』

爾泰說得神采飛揚。爾康和永琪，都看著爾泰，不禁跟著爾泰，興奮起來。唔，這次的『微服出巡』意義重大！可是……

『可是，小燕子還沒背出「古從軍行」來，怎麼辦？』永琪忽然大叫。

『我們大家想個辦法，幫她忙！讓她快讀快背！』爾康跳起身子。

『快讀快背？』永琪沈思。

幾乎是毫不耽擱，三個臭皮匠就來到了漱芳齋的小院裡。

永琪拿著一把長劍，舞得銀光閃閃，像一條光環，忽上忽下，忽左忽右，好看得不得了。紫薇和小燕子，帶著所有漱芳齋裡的人，圍著觀看。看到那把長劍像是活的一樣，時而凌厲，時而柔軟，大家都看得嘆爲觀止，小燕子尤其讚不絕口。永琪一面舞劍，一面隨著劍的動作，唸著『古從軍行』：

『白日登山望烽火，黃昏飲馬傍交河；行人刁斗風沙暗，公主琵琶幽怨多。野雲萬里無城郭，雨雪紛紛連大漠；胡雁哀鳴夜夜飛，胡兒眼淚雙雙落。聞道玉門猶被遮，應將性命逐輕車。年年戰骨埋荒外，空見葡萄入漢家。』

永琪舞完，大家掌聲雷動。小燕子看得興高采烈，永琪就再示範一遍：

『這樣拿劍一路往上劈，叫作「白日登山望烽火」，這樣回劍一掃，叫作「黃昏飲馬傍交河」，這樣刷刷刷刷舞過去，叫作「行人刁斗風沙暗」，這樣咚咚咚咚連續震動，叫作「公主琵琶幽怨多」！來！小燕子，我們先練這四句！』

小燕子高興極了，興致勃勃的喊：

『這個好玩！』

爾康遞了一把劍給她，她就舞了起來。一邊舞，一邊唸著：

『白日登山望烽火，黃昏飲馬傍交河……』

大家欣喜，又叫又跳，喊著：

『會了！會了！她會了！』

『這個方法有用，是誰發明的？』紫薇笑著問爾康。

『這叫作「窮則變，變則通」！因材施教，大概就是這個意思了！』爾康說。

小燕子忘了下面的句子，喊著：

『下面是什麼？』

『行人刁斗風沙暗，公主琵琶幽怨多！』永琪邊舞邊教。

小燕子的劍，舞得呼呼作響，嘴裡大喊：

『皇上刁難風沙暗，公主背詩幽怨多！』

爾康和紫薇面面相覷。

『她還會改詞？』爾康驚問。

『有進步，不是嗎？』紫薇說。

爾泰聽得直搖頭，苦著臉說：

『只怕「皇上聽了臉色暗，公主禁足幽怨多」！』

永琪毫不懈怠，也毫不洩氣，繼續舞著劍。

『這一招是「野雲萬里無城郭」，這一招是「雨雪紛紛連大漠」！這一招是「胡雁哀鳴夜夜飛」，這一招是「胡兒眼淚雙雙落」！』

小燕子的劍，越舞越有模有樣了，眉飛色舞，連刺好幾劍，喊：

『野人……野人怎麼啦？』

『不是「野人」，是「野雲」，妳心裡想著，妳這一路的劍劈過去，把一萬里的敵人都殺死了，連城市啦，鄉村啦，都没有了！』爾康著急，想盡方法幫忙。

小燕子又劈又刺又喊的：

『那下面是什麼？什麼下雪什麼沙漠？』

爾泰也忍不住提辭，學著爾康教她：

『雨雪紛紛連大漠！妳心裡這樣想，這把劍舞得像雪花一樣，和沙漠都連成一大片！看敵人怎麼逃？就是「雨雪紛紛連大漠」！』

『懂了！』小燕子大叫，就興高采烈的舞著劍，喊著：『野人萬里打不過，劍像雪花和沙漠！』

大家全體傻眼了。

然後，小燕子在永琪、爾康、爾泰和紫薇的護航下，到了乾隆面前，鄭而重之的背『古從軍行』。還把乾隆拉到御花園裡，以便容易給小燕子『提示』，大家在御花園裡，邊走邊逛邊看小燕子背詩。小燕子充滿信心的說：

『好不容易！我都背出來了！』

紫薇、爾泰、爾康、永琪都看小燕子，每個人都緊緊張張，對小燕子毫無把握。

於是，小燕子眼睛看著永琪，手中虛擬著有劍的模樣，不敢動作太大，只是小幅度的劈來劈去。永琪也小幅度的示意著，手臂忽上忽下，忽左忽右。乾隆左看右看，看得納悶極了。小燕子就開始背了：

『白日登山望烽火，黃昏飲馬傍交河，皇上刁難風沙暗……』

紫薇輕輕一哼，慌忙扯小燕子的衣服。

爾康咳嗽，爾泰清嗓子，永琪手中虛擬的劍動作大了些。嘴裡忍不住小聲提示：

『刷刷刷刷……』

乾隆驚奇的看大家：

『喂，你們大家在做什麼？』

大家嚇了一跳，慌忙收收神，看花的看花，看天空的看天空。

『背錯了！背錯了！是「行人刁斗風沙暗，公主背詩幽怨多」！』小燕子更正。

幾個年輕人又咳嗽的咳嗽，哼哼的哼哼，舞動的舞動……

乾隆看著大家，又好氣又好笑，故意不動聲色，說：

『背下去！』

『皇阿瑪，下面有一點難，我要一把劍來幫個忙！』小燕子說。

『什麼？背詩跟劍有什麼關係？』乾隆真的被攪糊塗了。

『沒有劍，找根樹枝也可以！』

小燕子就去折了一根樹枝，這一下精神來了，把樹枝當劍，舞了起來。

『我重背一遍！』就邊舞邊背：『白日登山望烽火，黃昏飲馬傍交河，行人刁斗風沙暗，公主琵琶幽怨多！』

大家呼出一口大氣，彼此安慰的對看點頭。永琪手中的虛擬之劍，又連續舞動。

小燕子就一口氣背了出來：

『野人萬里打不過，劍氣如雪連沙漠，胡雁哀鳴夜夜飛，胡兒眼淚雙雙落，聽說玉門還被遮，應該殺他一大車……』

爾康跺腳大嘆，爾泰用手蒙住了臉，永琪手裡那把虛擬的劍也不見了，紫薇嘆氣低頭，看著腳下，不敢看乾隆。

乾隆一聽，簡直不知所云，生氣的大叫：

『好了好了！妳這樣手舞足蹈的背詩，還背了一個亂七八糟！朕簡直不知道妳在做什麼？』

小燕子委屈來了，抱怨的說：

『皇阿瑪，你應該找一首容易一點的詩嘛！這首跟我的生活都不相關，怎麼背嘛！句子又那麼多，記了這句，忘了那句！一下胡人，一下野人，一下大雪，一下沙漠，一下白日，一下黃昏，沒有皇上，倒有公主……這種詩，會讓我的腦筋打結，舌頭打結，真的不好背嘛！』

『那麼，你們大家比來比去，指手畫腳，是在幹什麼？』乾隆問。

爾康嘆氣了，說：

『皇上就別研究了，這是一次失敗的教學方式！本想讓格格把這首詩當成「劍訣」來背，誰知，她劍都練會了，「劍訣」練不會！』

乾隆這才恍然大悟，睜大眼睛：

『劍訣啊？原來這樣比手畫腳，是在舞劍！是誰編的劍譜？虧你們想得出來！』就瞪著大家：『那麼，你們大家說，小燕子這首詩，算是過關了嗎？』

『已經很難得了，前四句都沒有錯！』永琪說。

『「胡雁哀鳴夜夜飛，胡兒眼淚雙雙落」這兩句也沒錯！』爾康說。

『後面雖然錯得比較離譜一點，「玉門」兩個字還是對的……』爾泰說。

乾隆氣得直吐氣：

『你們的意思是說，這算是「會背」了？』

小燕子知道難過關，挺身向前，忽然異想天開，建議說：

『紫薇代背，好不好？』

『代背？這還能代背的嗎？』乾隆問。

紫薇見小燕子過不了關，很著急。就一步上前，對乾隆屈了屈膝，說：

『皇上，我代格格另外背一首詩，皇上如果喜歡，就讓格格過關吧！如果不喜歡，再讓她回去唸！好不好？』

『妳要另外背一首？』乾隆看著紫薇。

『是，另外背一首！』

『妳背，朕聽聽看！』

『我想，現在大家心情愉快，正計畫著要出遊，不要背「古從軍行」吧！那首詩凄凄涼涼，咱們現在國泰民安，風調雨順，何必背那麼蒼涼的詩呢？』

乾隆覺得有理，這幾句話聽得非常舒服。

『好！不要背那首，那妳就換一首歡樂的詩背給大家聽聽！』

『是！』紫薇應著，就清清脆脆的朗聲背誦起來：『春雲欲瀏旋濛濛，百頃南湖一棹通；回望還迷堤柳綠，到來才辨謝梅紅。不殊圖畫倪黃境，真是樓台煙雨中；欲倩李牟攜鐵笛，月明度曲水晶宮。』

紫薇背完，乾隆驚喜莫名的看著紫薇，一臉的不相信。

『這是朕的詩！妳居然會背朕的詩！』

『是！奴婢斗膽了！唸得不好，唸不出皇上的韻味！』

乾隆盯著紫薇：

『妳知道這是朕什麼時候作的詩嗎？』

『是皇上在乾隆十六年二月，第一次下江南，在嘉慶遊南湖作的詩！』

乾隆太意外了，太驚喜了，看著紫薇，對這個靈巧的女子，打心眼裡喜歡起來。

『哈哈哈哈！小燕子，妳的這個幫手太高段了！朕甘拜下風！算妳過關了！』抬頭看大家：

『至於你們的「劍訣」，哼！』乾隆想想，想到小燕子手拿樹枝，比手畫腳狀，實在忍不住，又大笑起來了。『哈哈！哈哈！劍訣，點子想得不錯！只是學生太糟了！』再想想，又笑：『什麼「皇上刁難風沙暗，公主背詩幽怨多」！哈哈哈哈！算了算了，「古從軍行」到此爲止，你們就好好的給我籌備「微服出巡」的事吧！哈哈哈哈！』

在乾隆的『哈哈』聲中，大家也跟著嘻嘻哈哈。

爾康知道小燕子過關了，終於鬆了一口氣。可是，乾隆看紫薇的眼神，那麼欣賞，那麼憐惜，爾康就又覺得有點不對勁，擔心極了。再看心無城府的小燕子，想到乾隆的暗示，更加煩亂。永琪和爾泰，嘴裡跟著乾隆打哈哈，心裡也都各有心事。大家雖然都在笑，卻只有乾隆，笑得最是無牽無掛了。

◎第二部完・待續第三部『眞相大白』

國家圖書館出版品預行編目資料

還珠格格　3之2水深火熱 / 瓊瑤作
-- 初版. -- 台北市：皇冠，民86
面；公分. -- (皇冠叢書；第2769種)
(瓊瑤全集52)
ISBN 957-33-1478-9 (平裝)

857.7　　86012307

皇冠 CROWN <註冊商標第173155號>

皇冠叢書第二七六九種
《瓊瑤全集52》
還珠格格三之二水深火熱
作　者—瓊瑤
發 行 人—平鑫濤
出版發行—皇冠文化出版有限公司
台北市敦化北路一二〇巷五〇號
電話◎二七一六八八八八
郵撥帳號◎一五二六一五一—六號
登 記 證—局版臺業字第五〇一三號
編　輯—金文蕙
美術編輯—吳慧雯
校　對—鮑秀珍・陳俞伶・金文蕙
印 刷 者—中茂分色製版印刷事業股份有限公司
著作完成日期—一九九七年八月一日
初版出版日期—一九九七年十一月
十五刷出版日期—二〇〇〇年三月
◎法律顧問—蕭雄淋律師、王惠光律師

電腦編號◎000052
國際書碼◎ISBN 957-33-1478-9
Printed in Taiwan
本書定價◎新台幣160元

Huan Zhuge